folio+ COLLÈGE

W9-CZV-755

L'HOMME QUI PLANTAIT DES ARBRES

Jean Giono

TEXTE INTÉGRAL
+dossier
par Guillaume Duez

Guillaume Duez est agrégé de Lettres classiques.
Laura Yates a réalisé les infographies et les pictogrammes.

Pour que le caractère d'un être humain dévoile des qualités vraiment exceptionnelles, il faut avoir la bonne fortune de pouvoir observer son action pendant de longues années. Si cette action est dépouillée de tout égoïsme, si l'idée qui la dirige est d'une générosité sans exemple, s'il est absolument certain qu'elle _ 5 n'a cherché de récompense nulle part et qu'au surplus elle ait laissé sur le monde des marques visibles, on est alors, sans risque d'erreurs, devant un caractère inoubliable.

Il y a environ une quarantaine d'années, je faisais une longue course à pied, sur des hauteurs absolument inconnues des tou- _ 10 ristes, dans cette très vieille région des Alpes qui pénètre en Provence.

Cette région est délimitée au sud-est et au sud par le cours moyen de la Durance, entre Sisteron et Mirabeau; au nord par le cours supérieur de la Drôme, depuis sa source jusqu'à Die; à _ 15 l'ouest par les plaines du Comtat Venaissin et les contreforts du mont Ventoux. Elle comprend toute la partie nord du département des Basses-Alpes, le sud de la Drôme et une petite enclave du Vaucluse.

20 _ C'était, au moment où j'entrepris ma longue promenade dans ces déserts, des landes nues et monotones, vers 1 200 à 1 300 mètres d'altitude. Il n'y poussait que des lavandes sauvages.

Je traversais ce pays dans sa plus grande largeur et, après trois jours de marche, je me trouvais dans une désolation sans

25 _ exemple. Je campais à côté d'un squelette de village abandonné. Je n'avais plus d'eau depuis la veille et il me fallait en trouver. Ces maisons agglomérées, quoique en ruine, comme un vieux nid de guêpes, me firent penser qu'il avait dû y avoir là, dans le temps, une fontaine ou un puits. Il y avait bien une fontaine, mais sèche.

30 _ Les cinq à six maisons, sans toiture, rongées de vent et de pluie, la petite chapelle au clocher écroulé, étaient rangées comme le sont les maisons et les chapelles dans les villages vivants, mais toute vie avait disparu.

C'était un beau jour de juin avec grand soleil, mais sur ces

35 _ terres sans abri et hautes dans le ciel, le vent soufflait avec une brutalité insupportable. Ses grondements dans les carcasses des maisons étaient ceux d'un fauve dérangé dans son repas.

Il me fallut lever le camp. À cinq heures de marche de là, je n'avais toujours pas trouvé d'eau et rien ne pouvait me donner

40 _ l'espoir d'en trouver. C'était partout la même sécheresse, les mêmes herbes ligneuses. Il me sembla apercevoir dans le lointain une petite silhouette noire, debout. Je la pris pour le tronc d'un arbre solitaire. À tout hasard, je me dirigeai vers elle. C'était un berger. Une trentaine de moutons couchés sur la terre brûlante

45 _ se reposaient près de lui.

Il me fit boire à sa gourde et, un peu plus tard, il me conduisit à sa bergerie, dans une ondulation du plateau. Il tirait son eau, excellente, d'un trou naturel, très profond, au-dessus duquel il avait installé un treuil rudimentaire.

Cet homme parlait peu. C'est le fait des solitaires, mais on le _50 sentait sûr de lui et confiant dans cette assurance. C'était insolite dans ce pays dépouillé de tout. Il n'habitait pas une cabane mais une vraie maison en pierre où l'on voyait très bien comment son travail personnel avait rapiécé la ruine qu'il avait trouvée là à son arrivée. Son toit était solide et étanche. Le vent qui le _55 frappait faisait sur les tuiles le bruit de la mer sur les plages. Son ménage était en ordre, sa vaisselle lavée, son parquet balayé, son fusil graissé ; sa soupe bouillait sur le feu. Je remarquai alors qu'il était aussi rasé de frais, que tous ses boutons étaient solidement cousus, que ses vêtements étaient reprisés avec le soin minutieux _60 qui rend les reprises invisibles.

Il me fit partager sa soupe et, comme après je lui offrais ma blague à tabac, il me dit qu'il ne fumait pas. Son chien, silencieux comme lui, était bienveillant sans bassesse.

Il avait été entendu tout de suite que je passerais la nuit là ; le _65 village le plus proche était encore à plus d'une journée et demie de marche. Et, au surplus, je connaissais parfaitement le caractère des rares villages de cette région. Il y en a quatre ou cinq dispersés loin les uns des autres sur les flancs de ces hauteurs, dans les taillis de chênes blancs à la toute extrémité des routes _70 carrossables.

Ils sont habités par des bûcherons qui font du charbon de bois. Ce sont des endroits où l'on vit mal. Les familles, serrées les unes contre les autres dans ce climat qui est d'une rudesse excessive, aussi bien l'été que l'hiver, exaspèrent leur égoïsme en vase clos. L'ambition irraisonnée s'y démesure, dans le désir continu de s'échapper de cet endroit.

Les hommes vont porter leur charbon à la ville avec leurs camions, puis retournent. Les plus solides qualités craquent sous cette perpétuelle douche écossaise. Les femmes mijotent des rancœurs. Il y a concurrence sur tout, aussi bien pour la vente du charbon que pour le banc à l'église, pour les vertus qui se combattent entre elles, pour les vices qui se combattent entre eux et pour la mêlée générale des vices et des vertus, sans repos. Par là-dessus, le vent également sans repos irrite les nerfs. Il y a des épidémies de suicides et de nombreux cas de folies, presque toujours meurtrières.

Le berger qui ne fumait pas alla chercher un petit sac et déversa sur la table un tas de glands. Il se mit à les examiner l'un après l'autre avec beaucoup d'attention, séparant les bons des mauvais. Je fumais ma pipe. Je me proposai pour l'aider. Il me dit que c'était son affaire. En effet : voyant le soin qu'il mettait à ce travail, je n'insistai pas. Ce fut toute notre conversation. Quand il eut du côté des bons un tas de glands assez gros, il les compta par paquets de dix. Ce faisant, il éliminait encore les petits fruits ou ceux qui étaient légèrement fendillés, car il les examinait de fort près. Quand il eut ainsi devant lui cent glands parfaits, il s'arrêta et nous allâmes nous coucher.

La société de cet homme donnait la paix. Je lui demandai le lendemain la permission de me reposer tout le jour chez lui. Il le trouva tout naturel, ou, plus exactement, il me donna l'im- _ 100 pression que rien ne pouvait le déranger. Ce repos ne m'était pas absolument obligatoire, mais j'étais intrigué et je voulais en savoir plus. Il fit sortir son troupeau et il le mena à la pâture. Avant de partir, il trempa dans un seau d'eau le petit sac où il avait mis les glands soigneusement choisis et comptés. _ 105

Je remarquai qu'en guise de bâton, il emportait une tringle de fer grosse comme le pouce et longue d'environ un mètre cinquante. Je fis celui qui se promène en se reposant et je suivis une route parallèle à la sienne. La pâture de ses bêtes était dans un fond de combe. Il laissa le petit troupeau à la garde du chien et _ 110 il monta vers l'endroit où je me tenais. J'eus peur qu'il vînt pour me reprocher mon indiscrétion mais pas du tout : c'était sa route et il m'invita à l'accompagner si je n'avais rien de mieux à faire. Il allait à deux cents mètres de là, sur la hauteur.

Arrivé à l'endroit où il désirait aller, il se mit à planter sa _ 115 tringle de fer dans la terre. Il faisait ainsi un trou dans lequel il mettait un gland, puis il rebouchait le trou. Il plantait des chênes. Je lui demandai si la terre lui appartenait. Il me répondit que non. Savait-il à qui elle était ? Il ne savait pas. Il supposait que c'était une terre communale, ou peut-être était-elle la _ 120 propriété de gens qui ne s'en souciaient pas ? Lui ne se souciait pas de connaître les propriétaires. Il planta ainsi cent glands avec un soin extrême.

Après le repas de midi, il recommença à trier sa semence. Je mis, je crois, assez d'insistance dans mes questions puisqu'il y répondit. Depuis trois ans il plantait des arbres dans cette solitude. Il en avait planté cent mille. Sur les cent mille, vingt mille étaient sortis. Sur ces vingt mille, il comptait encore en perdre la moitié, du fait des rongeurs ou de tout ce qu'il y a d'impossible à prévoir dans les desseins de la Providence. Restaient dix mille chênes qui allaient pousser dans cet endroit où il n'y avait rien auparavant.

C'est à ce moment-là que je me souciai de l'âge de cet homme. Il avait visiblement plus de cinquante ans. Cinquante-cinq, me dit-il. Il s'appelait Elzéard Bouffier. Il avait possédé une ferme dans les plaines. Il y avait réalisé sa vie. Il avait perdu son fils unique, puis sa femme. Il s'était retiré dans la solitude où il prenait plaisir à vivre lentement, avec ses brebis et son chien. Il avait jugé que ce pays mourait par manque d'arbres. Il ajouta que, n'ayant pas d'occupations très importantes, il avait résolu de remédier à cet état de choses.

Menant moi-même à ce moment-là, malgré mon jeune âge, une vie solitaire, je savais toucher avec délicatesse aux âmes des solitaires. Cependant, je commis une faute. Mon jeune âge, précisément, me forçait à imaginer l'avenir en fonction de moi-même et d'une certaine recherche du bonheur. Je lui dis que, dans trente ans, ces dix mille chênes seraient magnifiques. Il me répondit très simplement que, si Dieu lui prêtait vie, dans trente ans, il en aurait planté tellement d'autres que ces dix mille seraient comme une goutte d'eau dans la mer.

Il étudiait déjà, d'ailleurs, la reproduction des hêtres et il avait _ 150 près de sa maison une pépinière issue des faines. Les sujets qu'il avait protégés de ses moutons par une barrière en grillage étaient de toute beauté. Il pensait également à des bouleaux pour les fonds où, me dit-il, une certaine humidité dormait à quelques mètres de la surface du sol. _ 155

Nous nous séparâmes le lendemain.

L'année d'après, il y eut la guerre de 14 dans laquelle je fus engagé pendant cinq ans. Un soldat d'infanterie ne pouvait guère y réfléchir à des arbres. À dire le vrai, la chose même n'avait pas marqué en moi : je l'avais considérée comme un dada, une col- _ 160 lection de timbres, et oubliée.

Sorti de la guerre, je me trouvais à la tête d'une prime de démobilisation minuscule mais avec le grand désir de respirer un peu d'air pur. C'est sans idée préconçue, sauf celle-là, que je repris le chemin de ces contrées désertes. _ 165

Le pays n'avait pas changé. Toutefois, au-delà du village mort, j'aperçus dans le lointain une sorte de brouillard gris qui recouvrait les hauteurs comme un tapis. Depuis la veille, je m'étais remis à penser à ce berger planteur d'arbres. « Dix mille chênes, me disais-je, occupent vraiment un très large espace. » _ 170

J'avais vu mourir trop de monde pendant cinq ans pour ne pas imaginer facilement la mort d'Elzéard Bouffier, d'autant que, lorsqu'on en a vingt, on considère les hommes de cinquante comme des vieillards à qui il ne reste plus qu'à mourir. Il n'était pas mort. Il était même fort vert. Il avait changé de métier. Il ne _ 175 possédait plus que quatre brebis mais, par contre, une centaine de ruches. Il s'était débarrassé des moutons qui mettaient en péril ses plantations d'arbres. Car, me dit-il (et je le constatais), il ne s'était pas du tout soucié de la guerre. Il avait imperturbablement 180 _ continué à planter.

Les chênes de 1910 avaient alors dix ans et étaient plus hauts que moi et que lui. Le spectacle était impressionnant. J'étais littéralement privé de parole et, comme lui ne parlait pas, nous passâmes tout le jour en silence à nous promener dans sa forêt. 185 _ Elle avait, en trois tronçons, onze kilomètres de long et trois kilomètres dans sa plus grande largeur. Quand on se souvenait que tout était sorti des mains et de l'âme de cet homme, sans moyens techniques, on comprenait que les hommes pourraient être aussi efficaces que Dieu dans d'autres domaines que la destruction.

190 _ Il avait suivi son idée, et les hêtres qui m'arrivaient aux épaules, répandus à perte de vue, en témoignaient. Les chênes étaient drus et avaient dépassé l'âge où ils étaient à la merci des rongeurs ; quant aux desseins de la Providence elle-même, pour détruire l'œuvre créée, il lui faudrait avoir désormais recours aux cyclones. 195 _ Il me montra d'admirables bosquets de bouleaux qui dataient de cinq ans, c'est-à-dire de 1915, de l'époque où je combattais à Verdun. Il leur avait fait occuper tous les fonds où il soupçonnait, avec juste raison, qu'il y avait de l'humidité presque à fleur de terre. Ils étaient tendres comme des adolescents et très décidés.

200 _ La création avait l'air, d'ailleurs, de s'opérer en chaînes. Il ne s'en souciait pas ; il poursuivait obstinément sa tâche, très simple.

Mais en redescendant par le village, je vis couler de l'eau dans des ruisseaux qui, de mémoire d'homme, avaient toujours été à sec. C'était la plus formidable opération de réaction qu'il m'ait été donné de voir. Ces ruisseaux secs avaient jadis porté de l'eau, _205 dans des temps très anciens.

Certains de ces villages tristes dont j'ai parlé au début de mon récit s'étaient construits sur les emplacements d'anciens villages gallo-romains dont il restait encore des traces, dans lesquelles les archéologues avaient fouillé et ils avaient trouvé des hame- _210 çons à des endroits où au vingtième siècle, on était obligé d'avoir recours à des citernes pour avoir un peu d'eau.

Le vent aussi dispersait certaines graines. En même temps que l'eau réapparaissaient les saules, les osiers, les prés, les jardins, les fleurs et une certaine raison de vivre. _215

Mais la transformation s'opérait si lentement qu'elle entrait dans l'habitude sans provoquer d'étonnement. Les chasseurs qui montaient dans les solitudes à la poursuite des lièvres ou des sangliers avaient bien constaté le foisonnement des petits arbres mais ils l'avaient mis sur le compte des malices naturelles de _220 la terre. C'est pourquoi personne ne touchait à l'œuvre de cet homme. Si on l'avait soupçonné, on l'aurait contrarié. Il était insoupçonnable. Qui aurait pu imaginer, dans les villages et dans les administrations, une telle obstination dans la générosité la plus magnifique? _225

À partir de 1920, je ne suis jamais resté plus d'un an sans rendre visite à Elzéard Bouffier. Je ne l'ai jamais vu fléchir ni

douter. Et pourtant, Dieu sait si Dieu même y pousse ! Je n'ai pas fait le compte de ses déboires. On imagine bien cependant que,
230 _ pour une réussite semblable, il a fallu vaincre l'adversité ; que, pour assurer la victoire d'une telle passion, il a fallu lutter avec le désespoir. Il avait, pendant un an, planté plus de dix mille érables. Ils moururent tous. L'an d'après, il abandonna les érables pour reprendre les hêtres qui réussirent encore mieux que les chênes.
235 _ Pour avoir une idée à peu près exacte de ce caractère exceptionnel, il ne faut pas oublier qu'il s'exerçait dans une solitude totale ; si totale que, vers la fin de sa vie, il avait perdu l'habitude de parler. Ou, peut-être, n'en voyait-il pas la nécessité ?

En 1933, il reçut la visite d'un garde forestier éberlué. Ce fonc-
240 _ tionnaire lui intima l'ordre de ne pas faire de feu dehors, de peur de mettre en danger la croissance de cette forêt *naturelle*. C'était la première fois, lui dit cet homme naïf, qu'on voyait une forêt pousser toute seule. À cette époque, il allait planter des hêtres à douze kilomètres de sa maison. Pour s'éviter le trajet
245 _ d'aller-retour, car il avait alors soixante-quinze ans, il envisageait de construire une cabane de pierre sur les lieux mêmes de ses plantations. Ce qu'il fit l'année d'après.

En 1935, une véritable délégation administrative vint examiner la *forêt naturelle*. Il y avait un grand personnage des Eaux
250 _ et Forêts, un député, des techniciens. On prononça beaucoup de paroles inutiles. On décida de faire quelque chose et, heureusement, on ne fit rien, sinon la seule chose utile : mettre la forêt sous la sauvegarde de l'État et interdire qu'on vienne y

charbonner. Car il était impossible de n'être pas subjugué par la beauté de ces jeunes arbres en pleine santé. Et elle exerça son _255 pouvoir de séduction sur le député lui-même.

J'avais un ami parmi les capitaines forestiers qui était de la délégation. Je lui expliquai le mystère. Un jour de la semaine d'après, nous allâmes tous les deux à la recherche d'Elzéard Bouffier. Nous le trouvâmes en plein travail, à vingt kilomètres de _260 l'endroit où avait eu lieu l'inspection.

Ce capitaine forestier n'était pas mon ami pour rien. Il connaissait la valeur des choses. Il sut rester silencieux. J'offris les quelques œufs que j'avais apportés en présent. Nous partageâmes notre casse-croûte en trois et quelques heures passèrent _265 dans la contemplation muette du paysage.

Le côté d'où nous venions était couvert d'arbres de six à sept mètres de haut. Je me souvenais de l'aspect du pays en 1913, le désert… Le travail paisible et régulier, l'air vif des hauteurs, la frugalité et surtout la sérénité de l'âme avaient donné à ce vieillard _270 une santé presque solennelle. C'était un athlète de Dieu. Je me demandais combien d'hectares il allait encore couvrir d'arbres.

Avant de partir, mon ami fit simplement une brève suggestion à propos de certaines essences auxquelles le terrain d'ici paraissait devoir convenir. Il n'insista pas. «Pour la bonne raison, me _275 dit-il après, que ce bonhomme en sait plus que moi.» Au bout d'une heure de marche, l'idée ayant fait son chemin en lui, il ajouta : «Il en sait beaucoup plus que tout le monde. Il a trouvé un fameux moyen d'être heureux!»

280 _ C'est grâce à ce capitaine que, non seulement la forêt, mais le bonheur de cet homme furent protégés. Il fit nommer trois gardes forestiers pour cette protection et il les terrorisa de telle façon qu'ils restèrent insensibles à tous les pots-de-vin que les bûcherons pouvaient proposer. L'œuvre ne courut un risque

285 _ grave que pendant la guerre de 1939. Les automobiles marchant alors au gazogène, on n'avait jamais assez de bois. On commença à faire des coupes dans les chênes de 1910, mais ces quartiers sont si loin de tous réseaux routiers que l'entreprise se révéla très mauvaise au point de vue financier. On l'abandonna. Le berger

290 _ n'avait rien vu. Il était à trente kilomètres de là, continuant paisiblement sa besogne, ignorant la guerre de 39 comme il avait ignoré la guerre de 14.

J'ai vu Elzéard Bouffier pour la dernière fois en juin 1945. Il avait alors quatre-vingt-sept ans. J'avais donc repris la route du

295 _ désert, mais maintenant, malgré le délabrement dans lequel la guerre avait laissé le pays, il y avait un car qui faisait le service entre la vallée de la Durance et la montagne. Je mis sur le compte de ce moyen de transport relativement rapide le fait que je ne reconnaissais plus les lieux de mes premières promenades. Il me

300 _ semblait aussi que l'itinéraire me faisait passer par des endroits nouveaux. J'eus besoin d'un nom de village pour conclure que j'étais bien cependant dans cette région jadis en ruine et désolée. Le car me débarqua à Vergons.

En 1913, ce hameau de dix à douze maisons avait trois habi-

305 _ tants. Ils étaient sauvages, se détestaient, vivaient de chasse au

piège ; à peu près dans l'état physique et moral des hommes de la préhistoire. Les orties dévoraient autour d'eux les maisons abandonnées.

Leur condition était sans espoir. Il ne s'agissait pour eux que d'attendre la mort : situation qui ne prédispose guère aux vertus. — 310

Tout était changé. L'air lui-même. Au lieu des bourrasques sèches et brutales qui m'accueillaient jadis, soufflait une brise souple chargée d'odeurs. Un bruit semblable à celui de l'eau venait des hauteurs : c'était celui du vent dans les forêts. Enfin, chose plus étonnante, j'entendis le vrai bruit de l'eau coulant — 315 dans un bassin. Je vis qu'on avait fait une fontaine, qu'elle était abondante et, ce qui me toucha le plus, on avait planté près d'elle un tilleul qui pouvait déjà avoir dans les quatre ans, déjà gras, symbole incontestable d'une résurrection.

Par ailleurs, Vergons portait les traces d'un travail pour l'en- — 320 treprise duquel l'espoir est nécessaire. L'espoir était donc revenu. On avait déblayé les ruines, abattu les pans de murs délabrés et reconstruit cinq maisons. Le hameau comptait désormais vingt-huit habitants dont quatre jeunes ménages. Les maisons neuves, crépies de frais, étaient entourées de jardins potagers où pous- — 325 saient, mélangés mais alignés, les légumes et les fleurs, les choux et les rosiers, les poireaux et les gueules-de-loup, les céleris et les anémones. C'était désormais un endroit où l'on avait envie d'habiter.

À partir de là, je fis mon chemin à pied. La guerre dont nous — 330 sortions à peine n'avait pas permis l'épanouissement complet de la vie, mais Lazare était hors du tombeau. Sur les flancs abaissés de la montagne, je voyais de petits champs d'orge et de seigle en herbe ; au fond des étroites vallées, quelques prairies verdissaient.

335 _ Il n'a fallu que les huit ans qui nous séparent de cette époque pour que tout le pays resplendisse de santé et d'aisance. Sur l'emplacement des ruines que j'avais vues en 1913, s'élèvent maintenant des fermes propres, bien crépies, qui dénotent une vie heureuse et confortable. Les vieilles sources, alimentées par les

340 _ pluies et les neiges que retiennent les forêts, se sont remises à couler. On en a canalisé les eaux. À côté de chaque ferme, dans des bosquets d'érables, les bassins des fontaines débordent sur des tapis de menthe fraîche. Les villages se sont reconstruits peu à peu. Une population venue des plaines où la terre se vend cher

345 _ s'est fixée dans le pays, y apportant de la jeunesse, du mouvement, de l'esprit d'aventure. On rencontre dans les chemins des hommes et des femmes bien nourris, des garçons et des filles qui savent rire et ont repris goût aux fêtes campagnardes. Si on compte l'ancienne population, méconnaissable depuis qu'elle vit

350 _ avec douceur, et les nouveaux venus, plus de dix mille personnes doivent leur bonheur à Elzéard Bouffier.

Quand je réfléchis qu'un homme seul, réduit à ses simples ressources physiques et morales, a suffi pour faire surgir du désert ce pays de Canaan[1], je trouve que, malgré tout, la condition

355 _ humaine est admirable. Mais, quand je fais le compte de tout

---

1. Dans la Genèse, nom du pays désigné par Dieu à Abraham comme la Terre promise.

ce qu'il a fallu de constance dans la grandeur d'âme et d'acharnement dans la générosité pour obtenir ce résultat, je suis pris d'un immense respect pour ce vieux paysan sans culture qui a su mener à bien cette œuvre digne de Dieu.

Elzéard Bouffier est mort paisiblement en 1947 à l'hospice de _ 360 Banon.

JE
DÉCOUVRE

NOUS AVONS
LA PAROLE

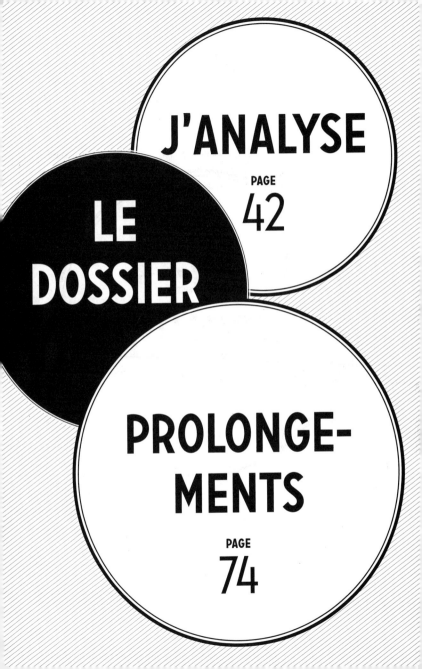

J'ANALYSE

LE
DOSSIER

PROLONGE-
MENTS

JE
DÉCOUVRE

Les personnages et les lieux de
L'homme qui plantait des arbres

BREST

PARIS

VERDUN

RENNES

NANTES

LA ROCHELLE

LYON

GRENOBLE

BORDEAUX

NÎMES

MONTPELLIER

TOULOUSE

MARSEILLE

La Drôme

Le Rhône

La Durance

MONT VENTOUX
1912M ▲

SISTERON

BANON

VERGONS

LE COMTAT VENAISSIN

MIRABEAU

Les personnages

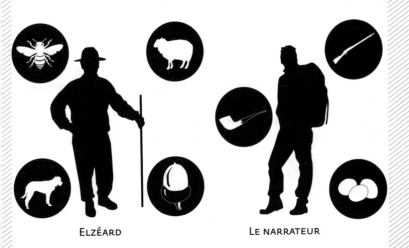

ELZÉARD

LE NARRATEUR

Les arbres

CHÊNE   ÉRABLE   HÊTRE   BOULEAU   SAULE

Jean Giono raconté
par Elzéard Bouffier

Quand cet homme s'est trouvé sur ma route la première fois, je ne connaissais même pas son nom : Jean Giono. Personne encore ne le connaissait d'ailleurs. Ce n'est que bien plus tard, **à la fin des années 1920, qu'il publia ses premiers livres** (*Colline* et *Un de Baumugnes*). Je ne les ai pas lus, mais on m'a raconté qu'**il y était question de la Provence**, de cette terre où nous nous sommes rencontrés, qu'il a toujours aimée, et dont il a fait le cadre de la majorité de ses livres.

Au début je ne savais rien de lui – et peu m'importait ! Un jeune employé de banque à **Manosque**, même pas âgé de vingt ans, et, surtout, qui parlait trop. Ah ! Il était bien fait pour écrire des livres, celui-là ! Bon, j'ai écouté. Parfois, il me parlait de la guerre, de la beauté de la nature, bien plus forte et durable que les folies mécaniques des hommes. Il m'a raconté, un peu, **sa mobilisation en 1914. La bataille de Verdun et le Chemin des Dames**. Je n'ai su que par hasard qu'il avait été atteint par les gaz. Comme je ne me suis pas intéressé à cette boucherie, sur le moment, je ne me suis pas rendu compte qu'il avait eu une chance inouïe d'en avoir réchappé. Il a d'ailleurs écrit un livre sur cet enfer : *Le Grand Troupeau*. Toujours l'image pastorale chez lui !

Puis, je n'ai plus eu de nouvelles ni de visites. C'est qu'il avait été **mobilisé encore, puis arrêté en 1939**. Pendant que je passais des chênes aux hêtres, lui était pris dans les tourments de l'Occupation. **Il aidait des Juifs et des résistants** et pourtant des textes publiés dans la presse sous Vichy lui ont valu d'être **emprisonné en 1944** pour collaboration. Pauvre **pacifiste**, qui préférait se faire **poète devant la beauté de la nature**, comme dans *Le Chant du monde* ! Il ne sera plus tout à fait le même après cela : plus sombre.

Et puis il est revenu me voir, régulièrement. Il ne travaillait plus à la banque depuis les années 1930 déjà. Il avait complètement basculé vers la littérature, et pas seulement, **il avait touché au théâtre, au cinéma** et présidera même le festival de Cannes en 1961.

Dans la deuxième partie de sa vie, après la guerre et après ma mort, il écrit des œuvres très différentes de *Regain* ou *Que ma joie demeure*. Il y parle toujours de la Provence et du rapport à la terre, mais dans **un univers plus cruel**. Il imagine surtout **son célèbre personnage de hussard, Angelo**. Se succèdent ainsi *Le Hussard sur le toit*, *Un roi sans divertissement*, *Le Moulin de Pologne* entre 1951 et 1953.

Est-ce qu'il n'y avait pas déjà dans ses premiers livres une vision du monde plus profonde que le pacifisme naïf et l'admiration fascinée du retour à la **civilisation paysanne** ? Je ne sais pas, je ne les ai pas lus. Il faudrait demander à sa femme, Élise Maurin, qu'il épouse en 1920. Ce qui est certain, c'est que lorsqu'il écrit *L'homme qui plantait des arbres*, **en 1953, il reprend à travers moi ses personnages et ses grands thèmes des années 1920-1930**. Il faut dire qu'à l'époque, il avait plus de cinquante-cinq ans, l'âge que j'avais quand nous nous sommes rencontrés pour la première fois. Finalement, on se ressemblait un peu. Et quand je le voyais m'observer en train de planter mes graines, je me disais qu'il pensait peut-être planter aussi quelque chose avec ses livres, mais dans le cœur des hommes. Je me suis éteint à quatre-vingt-sept ans, lui **a été emporté en 1970 par une crise cardiaque, à soixante-quinze ans**.

Le vrai/faux

- *Jean Giono est un écrivain régionaliste.*
- *Il a eu une attitude ambiguë face à la guerre.*
- *Il est aussi cinéaste et dramaturge.*

Retour dans le passé : le lecteur contemporain de *L'homme qui plantait des arbres*

Dans les années 1950, le lecteur français qui aurait eu entre les mains *L'homme qui plantait des arbres* aurait sans doute pensé à d'autres auteurs, dits régionalistes, comme Maurice Genevoix, Colette, Marcel Pagnol ou encore le Suisse Charles Ferdinand Ramuz. Dans les années 1910-1930, en effet, on voit se multiplier les romans qui prennent pour cadre le terroir aimé de leur auteur, mais plus encore qui font de la nature un personnage essentiel. Parmi ces œuvres, on compte plusieurs grands succès encore lus aujourd'hui : *Raboliot* de Genevoix, *La Grande Peur dans la montagne* de Ramuz, ou *Colline* de Giono.

En ce début de siècle, le tourisme ne s'est pas encore développé : découvrir une région inconnue à travers les récits d'un écrivain qui en est issu est un plaisir pour le public. Le cinéma, en pleine expansion, permet lui aussi d'aborder d'autres contrées, des paysages et des accents. Les adaptations cinématographiques d'œuvres comme celles de Giono (*Regain*, 1937), ou plus tard de Marcel Pagnol (*Topaze*, 1951), popularisent encore ces images régionales. L'on reste attaché par ailleurs à l'esthétique réaliste héritée du xixᵉ siècle qui place l'action du récit dans un cadre à la fois simple et plausible. Le spectacle des particularismes régionaux apparaît comme authentique tout en étant exotique, c'est une forme de dépaysement qui séduit.

Ces récits « régionalistes » peuvent parfois plaider en faveur de questions sociales ou politiques. Mais cela n'a pas de quoi surprendre le lecteur contemporain qui connaît depuis l'entre-deux-guerres des romans militants comme *Les Beaux Quartiers* de Louis Aragon (1936), ou critiques comme *Ravage* de René Barjavel (1943), ou encore des pièces de théâtre comme celles de Jean Giraudoux ou la célèbre *Antigone* (1944) de Jean Anouilh, voire des chansons comme « Le Déserteur » (1954) de Boris Vian. Dans cette première partie du siècle, les débats d'idées passent par l'écrit : la presse, les œuvres littéraires, le théâtre ; l'on n'est pas encore entré dans l'ère des médias : la télévision n'est pas présente dans les foyers avant les années 1960, les actualités sont projetées au cinéma avant les films.

Cependant, quand *L'homme qui plantait des arbres* est publié et diffusé en France, à partir de 1973, les choses sont assez différentes. Des auteurs comme Nathalie Sarraute, Marguerite Duras, Alain Robbe-Grillet émergent justement après la Seconde Guerre mondiale et avec eux le « Nouveau Roman », mouvement qui interroge les techniques romanesques et propose au public des textes qui jouent sur les limites du roman (confusion des voix narratives, récits non linéaires, etc.). La société de l'après-guerre et l'époque de la reconstruction ont laissé place à une génération qui cherche à déplacer les lignes, parfois à rompre violemment avec le passé. Les mouvements pacifistes, critiques et rétifs à la politique issue de l'après-guerre s'amplifient. Le retour à la nature est notamment plaidé par le courant des hippies, venu des États-Unis, ou globalement par la jeune génération qui s'exprime durant les événements de Mai 68. C'est d'ailleurs une époque où Giono change et, notamment avec *Le Hussard sur le toit*, s'attache davantage à créer des personnages même si le cadre de leurs actions demeure la Provence.

Le vrai/faux

- *Dans les années 1970, L'homme qui plantait des arbres apparaît comme un livre démodé.*
- *Le lecteur des années 1970 peut voir le récit de Giono comme une œuvre écologiste.*
- *Giono est proche des innovations du Nouveau Roman.*

Ce qu'il s'est passé au moment de la création de *L'homme qui plantait des arbres*

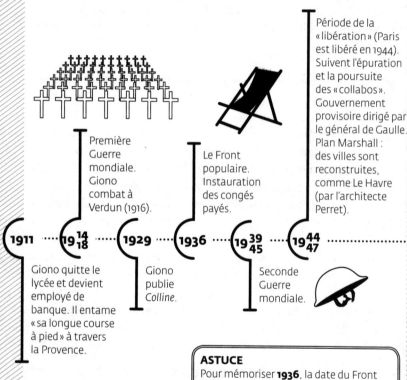

Première Guerre mondiale. Giono combat à Verdun (1916).

Le Front populaire. Instauration des congés payés.

Période de la « libération » (Paris est libéré en 1944). Suivent l'épuration et la poursuite des « collabos ». Gouvernement provisoire dirigé par le général de Gaulle. Plan Marshall : des villes sont reconstruites, comme Le Havre (par l'architecte Perret).

1911 ····· 19 14 18 ····· 1929 ····· 1936 ····· 19 39 45 ····· 19 44 47 ·····

Giono quitte le lycée et devient employé de banque. Il entame « sa longue course à pied » à travers la Provence.

Giono publie *Colline*.

Seconde Guerre mondiale.

ASTUCE

Pour mémoriser **1936**, la date du Front populaire : c'est au xxᵉ siècle, les premiers chiffres sont 19, et la somme des deux derniers est 9, en se rappelant que le deuxième est le double du premier.

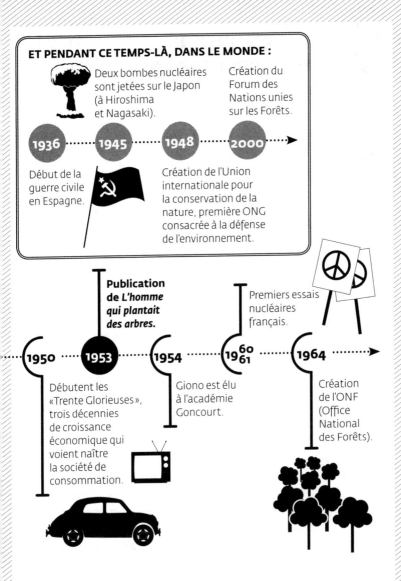

ET PENDANT CE TEMPS-LÀ, DANS LE MONDE :

Deux bombes nucléaires sont jetées sur le Japon (à Hiroshima et Nagasaki).

Création du Forum des Nations unies sur les Forêts.

1936 .... **1945** .... **1948** **2000**

Début de la guerre civile en Espagne.

Création de l'Union internationale pour la conservation de la nature, première ONG consacrée à la défense de l'environnement.

Publication de *L'homme qui plantait des arbres*.

Premiers essais nucléaires français.

1950 .... **1953** .... **1954** .... **19 60 61** **1964**

Débutent les « Trente Glorieuses », trois décennies de croissance économique qui voient naître la société de consommation.

Giono est élu à l'académie Goncourt.

Création de l'ONF (Office National des Forêts).

Les origines et la postérité de *L'homme qui plantait des arbres*

Un texte de commande

L'opuscule de Giono est initialement une réponse à **un concours proposé par un magazine américain**, le *Reader's Digest*, qui invite à écrire une histoire sur « Le personnage le plus extraordinaire que j'ai rencontré ». La rédaction du magazine présélectionne le récit de Giono, mais va influer sur son contenu en demandant non seulement que les lieux et les personnages soient précisés (c'est ainsi que le toponyme, réel, de Vergons est introduit, tout comme le nom d'Elzéard Bouffier) mais aussi que la fin soit plus optimiste.

C'est finalement dans la revue américaine *Vogue* que le texte sera publié en 1954. Et il rencontre tout de suite un **étonnant succès**, d'abord aux États-Unis et progressivement dans de nombreux pays du monde où il est traduit.

Une lecture poétique

Si le succès de cet ouvrage est largement dû à son propos militant en faveur des arbres et de la défense de la nature, d'autres aspects du récit sont exploités. Notamment, il devient un titre de la **littérature de jeunesse**, ce qui souligne sa proximité avec la fable et le merveilleux de l'action principale : une forêt entière qui pousse grâce aux efforts d'un seul homme.

En 1987, le Canadien **Frédéric Back** en réalise une adaptation en film d'animation. Il met en scène le narrateur et Elzéard Bouffier, avec en voix *off* une lecture du texte de Giono par le célèbre acteur français **Philippe Noiret**. Les images donnent une représentation très forte des descriptions présentes dans le récit, leur conférant un **caractère poétique voire onirique**.

Une lecture politique ?

Aujourd'hui, avec les progrès de la **cause environnementale** dans l'univers médiatique et politique, *L'homme qui plantait des arbres* apparaît plus encore comme une défense de la nature face aux actions destructrices de l'homme, en particulier la guerre. Lorsque l'on sait que Giono était un **pacifiste affirmé**, on peut légitimement penser qu'une telle lecture politique n'est pas sans fondement.

Cor
Cœur
Courage

Les mots ont une histoire

Giono n'utilise guère de mots tirés du franco-provençal dans ce texte, comme il le fait dans des récits comme *Colline*. Il emploie un lexique assez clair, voire courant. Pourtant, certains termes apparaissent comme très significatifs, soit par leur profondeur historique, soit par le réseau qu'ils forment avec d'autres.

Commencez par repérer dans les deux rubriques ci-dessous les mots dont la présence peut paraître surprenante dans *L'homme qui plantait des arbres*.

Le paysage et la nature

Chêne : le mot semble simple, il vient de l'ancien français *chasne* (comme le frêne, un autre type d'arbre, vient de *frasne*), ce qui explique son **accent circonflexe**. Il est en fait une forme latinisée (*cassanus*, puis *casnus*) d'un **mot gaulois** et serait à mettre en relation avec « châtaigne ». Surtout, si ce mot gaulois a perduré et que le nom latin *quercus* ne s'est pas implanté en Gaule, c'est que le chêne est un **arbre sacré pour les druides**. On trouve néanmoins trace du latin dans les parlers du Midi, comme dans « garrigue », dérivé de *garric*, peut-être issu de *quercus*. Son fruit est le **gland**, mot qui vient du latin, lui : *glans*. Le verbe familier « glander », au sens de « perdre son temps », signifiait à l'origine « ramasser des glands » et si, vers les années 1940, il évolue dans ce sens négatif, c'est que cette activité de ramasser des glands apparaît comme improductive : on entre dans l'ère des villes et les tâches liées à la forêt sont déconsidérées !

Fond de combe : la combe est une vallée ; le « fond de combe » est donc un espace de terre entre deux zones de terrain plus élevées. On peut noter que le mot vient lui aussi du gaulois, *cumba*, et non du latin.

Hêtre : comme « chêne », hêtre ne vient pas du latin, même si *fagus* a pu donner des mots régionaux, comme « fayard », qui est un nom de famille assez fréquent en France. « Hêtre » vient d'un mot germanique, *haistr*, ce qui explique, là aussi, l'accent circonflexe dans « hêtre ». Comme le chêne, et à la différence de l'érable, c'est un bois très utilisé en menuiserie. Son fruit est la **faine**, *fagina* en latin, formé sur *fagus*.

Ligneux : adjectif dérivé du latin *lignum*, qui signifie « bois », et désigne ce qui a l'apparence ou les caractéristiques du bois. « Bois », lui, vient d'un mot germanique, *bosk*, que l'on retrouve évidemment dans « bosquet ». Il est intéressant de remarquer que *lignum* vient de *legere*, au sens de « cueillir, ramasser », et que ce même verbe signifie « lire » en latin !

Prairie : surface couverte de plantes qui servent à nourrir le bétail. La prairie vient du même mot latin que le « **pré** » : *pratum*. La différence entre les deux semble dès l'origine la vocation agricole de la prairie. La distinction toutefois n'est pas très nette, car le pré est aussi un terrain voué à nourrir le bétail. Le mot « prairie » renvoie sans doute plus à une dimension professionnelle ou à un vaste espace, alors que « pré » est plus courant. Un troisième nom vient les concurrencer : **la pâture**. Il désigne également le lieu où l'on laisse se nourrir les bêtes, où on les fait « paître ». L'origine de « pâture » et « paître » est d'ailleurs la même : *pascere*, en latin, paître, faire paître. **Le *pastor*, le « berger »**, est donc celui qui fait paître, qui nourrit son bétail.

Puits : trou, fosse. Le mot vient du latin *puteus*, ce qui explique son –t–, qui sert à faire la différence avec « puis ». Il désigne avant tout un trou dans le sol, voire une fosse très profonde, et a même été en concurrence avec **gouffre**. Il renvoie surtout à un trou creusé, notamment pour atteindre l'eau mais pas seulement. On retrouve le mot « puits » dans des emplois qui n'impliquent pas l'eau : « puits de pétrole », « puits de mine » ou, dans un sens figuré, « puits de science », pour parler de quelqu'un qui sait beaucoup de choses. Le puits est donc associé à une ressource, une richesse. De ce point de vue, il est intéressant pour lire Giono de penser à la fois au puits au sens de gouffre, qui cache en profondeur, et d'ouverture vers une ressource.

Semence : germe, graine que l'on sème. « Semer » et « semence » ont la même racine et on trouve même le verbe « ensemencer » pour dire « remplir de graines », et non *engrainer*, qui n'existe pas. L'engrais, lui, n'a pas de lien avec la graine ou la semence, mais avec la graisse, c'est en quelque sorte le gras que l'on ajoute à la terre. Bien entendu, il est significatif que « semence » soit employé à la fois pour les plantes et pour les animaux. La semence est la base de la reproduction en général et donc de la vie.

Vert : couleur entre le bleu et le jaune, le vert est bien entendu celle des végétaux. Le mot vient du latin *viridis* : vert, verdoyant. On retrouve cette racine dans le verbe **verdir**, ou dans le nom **verdure** qui désigne des végétaux. Ce lien avec les plantes explique aussi le sens figuré de l'adjectif : vert peut signifier vigoureux, robuste, celui qui est plein de sève en somme. On dit ainsi d'un homme âgé qu'il « est encore vert » quand il manifeste des attitudes de jeune homme. Associé fortement au printemps (y compris par jeu de mots : le printemps se dit *ver* en latin), le vert est donc la couleur de la vie. Au Moyen Âge, la *reverdie* désignait ainsi une célébration poétique de la renaissance de la nature au printemps.

La société des hommes

Bienveillance : sentiment ou disposition d'esprit par lesquels on veut du bien à quelqu'un, comme l'**altruisme**. Le mot renvoie autant à la simple **gentillesse** (vouloir le bien de l'autre) qu'à une forme d'**indulgence**, c'est porter un regard positif sur quelqu'un d'inférieur ; on est alors proche de la **condescendance**.

Frugalité : modération, notamment en parlant d'un repas composé d'aliments simples. Le mot vient du latin *frugalitas*, dérivé de *fruges*, qui désigne les fruits, au sens large, de ce qui est produit par le sol et les plantes. La frugalité est donc une qualité, qui consiste à se contenter de ce qu'offre la nature, sans excès et sans voracité. **Vorace** est le contraire de **frugal**.

Insolite : inhabituel et surprenant. Le mot est composé du préfixe négatif *in-* et du participe passé du verbe latin *solere*, « avoir coutume de ». Littéralement, il signifie « inhabituel ». Ce terme évolue d'un sens négatif, proche du latin (pour un Romain, tout ce qui est nouveau est suspect !), vers un sens franchement positif, le rapprochant d'« original », d'« intéressant ». Reste à savoir si c'est le sens positif ou négatif qui est convoqué dans l'esprit du narrateur à la vue de l'habitation d'Elzéard Bouffier.

Sérénité : calme. La sérénité renvoie aussi à une forme de paix, notamment de paix intérieure. Un homme serein, une femme sereine sont sans troubles. Il faut noter toutefois que le mot inclut aussi dans son étymologie l'idée de pureté : *serenus* signifie « pur », « sans nuage ». La sérénité englobe donc une forme de maîtrise de soi, trait assez caractéristique des mentalités paysannes.

Société de : avant de désigner à l'époque moderne une entreprise, une firme, une société est un ensemble d'individus et s'attache surtout aux relations entre des personnes. Le mot *societas* en latin est formé sur *socius*, l'« allié », celui avec lequel on a choisi d'entretenir des rapports de solidarité. On retrouve cette racine dans « associer », c'est-à-dire accorder ensemble, ou « social ». La **société de quelqu'un** désigne donc les relations que l'on noue avec quelqu'un ou avec un groupe, la « compagnie de » quelqu'un.

En vase clos : sans contact avec l'extérieur. Le mot vase renvoie bien entendu à l'idée de récipient, et avant tout de contenant pour de l'eau. Il est pris ici au **sens figuré**, mais résonne dans le texte de Giono avec la sécheresse du climat. Ce vase clos des habitants fait d'eux des êtres asséchés comme leur sol est tari.

LA PRÉPOSITION « DE »

Une préposition est un mot **invariable** (comme les adverbes ou les conjonctions). Elle a pour rôle d'**introduire un complément** de verbe, de nom, voire de phrase. Contrairement aux conjonctions, la préposition ne peut être suivie d'un verbe conjugué ; elle n'introduit jamais de proposition.

> Ex. : Je pense **qu**'il viendra. / Je pense **à** venir demain.

Conjonction de subordination : la phrase contient deux propositions.	Préposition : la phrase contient une seule proposition.

1 Faites le test qui convient pour répartir les mots ci-dessous dans les deux catégories : vers – pour – pourvu que – si – par – puisque – afin de – dans.

Prépositions	
Conjonctions	

Pour aller plus loin : comparez les conjonctions de coordination (mais, ou, et, donc, or, ni, car) et certains adverbes (jamais, tard, bien, toujours) avec les prépositions de l'exercice précédent. Quelles différences de fonctionnement observez-vous ?

2 Dans la liste ci-dessous, relevez les mots qui peuvent se construire avec la préposition «de» : peu – nombre – parler – tenir – sauf – il faut – un manque – une crise.

• Quels sont ceux qui se construisent uniquement avec «de» ?

• Quels sont ceux qui changent considérablement de sens quand ils sont suivis d'un complément introduit par la préposition «de» ?

LES NOMS EN –TÉ

Les noms en –té viennent dans leur écrasante majorité de mots latins formés avec le suffixe –tat–. Ainsi *societas*, qui s'écrit *societatem* quand il est complément direct d'un verbe, a donné le mot société. Le –m final disparaît progressivement au fil des siècles pour aboutir au suffixe –té.

Or, tous ces mots latins sont féminins. Le suffixe –tat– sert en fait à construire des noms féminins – comme en espagnol –dad (*sociedad*, «société», *amistad*, «amitié») ou en allemand –ung (*die Zeitung*, «journal») ou –keit (*die Freundlichkeit*, «gentillesse, amabilité»).

C'est pour cela qu'en français, les mots en –té ne prennent pas de –e. Le suffixe indique déjà qu'ils sont féminins.

En partant de cette règle, expliquez l'orthographe des mots ci-dessous. (Émettez d'abord des hypothèses et employez un dictionnaire ou un manuel pour les vérifier.)

Bonté – musée – testée – gratuité – alitée – montée – tétée – rareté – plantée – Prométhée.

Les noms propres sont porteurs de sens

Elzéard Bouffier : le prénom et le nom de ce personnage semblent tous deux créés à partir de noms existants et fortement évocateurs.

Son nom tout d'abord renvoie au **bouvier** : le berger gardant les bœufs. On rencontre encore ce mot car il est utilisé pour certaines races de chiens (bouvier des Flandres, par exemple). Il vient du latin *bos, bovis* (le « bœuf ») que l'on retrouve dans l'adjectif « bovin ».

En choisissant ce nom, pour un berger, Giono se rapproche bien évidemment des auteurs latins et grecs qui ont constitué ses lectures d'enfant (Virgile dans les *Géorgiques* ou les *Bucoliques*, Théocrite dans les *Idylles*). Il fait également de son personnage le berger de ces grands arbres. On remarque d'ailleurs qu'il « s'était débarrassé de ses moutons », lorsque le narrateur le retrouve après la Première Guerre mondiale, pour protéger ses plantations.

Son prénom, Elzéard, rappelle **Lazare**, personnage du Nouveau Testament, dont le prénom est la forme grecque d'Éléazar, qui signifie « Dieu a secouru ».

On trouve dans la Bible deux Lazare. L'un est le personnage de la parabole du mauvais riche, qui entend démontrer que la richesse n'assure pas le bonheur dans l'au-delà. Ce personnage de mendiant devient saint Lazare, patron des lépreux. L'autre est un proche de Jésus. Malade, Lazare meurt au moment où Jésus est menacé de mort pour avoir affirmé être le « Fils de Dieu ». Or, Jésus va au tombeau de Lazare et le ramène à la vie. Cette figure majeure des Évangiles est considérée au Moyen Âge comme celle qui aurait apporté le christianisme à Marseille.

Avec un tel nom, le personnage de Giono est lié, d'une part, à la littérature poétique qui prend la nature comme sujet et, d'autre part, au miracle et à la parabole, c'est-à-dire au récit qui démontre quelque chose. Il n'est plus seulement un vieil homme plantant des arbres, mais le berger d'une forêt miraculeuse. Il assure la résurrection d'une terre désolée. L'austérité dans laquelle il vit, qui rappelle celle d'un moine, renvoie également à une réflexion sur ce qui peut constituer une véritable richesse.

Dernières observations avant l'analyse

1. Commençons par faire le point. Proposez une suite aux deux amorces de phrases suivantes :

> L'homme qui plantait des arbres *raconte…*
> L'homme qui plantait des arbres *me parle de…*

Vos propositions peuvent ne pas être partagées avec la classe, elles peuvent au contraire être débattues avec un ou deux camarades. Vous pouvez aussi conserver cet écrit et le modifier au fil de votre étude pour en faire des bilans de lecture réguliers.

2. Quel est pour vous le thème principal de ce récit ?

Ce texte évoque la forêt, mais aussi les Alpes provençales comme cadre et comme paysage à découvrir, par ailleurs il retrace la vie et les actions d'un personnage atypique, Elzéard Bouffier. Identifier le thème de ce livre n'est pas si simple.

Quelques observations peuvent vous aider.

1. Relisons les premières lignes : qui parle ici ?
2. Quels sont les mots-clés dans ce passage ?
3. Par quoi le narrateur achève-t-il son récit ? Quel effet cela produit-il ?
4. Si l'on se souvient de la commande à laquelle répond Giono, comprenez-vous pourquoi le magazine américain lui a fait faire des modifications ?

3. Une mystification

Le narrateur nous donne de nombreux détails sur Elzéard Bouffier, ses activités, son tempérament, ses actions. Mais ce personnage est-il réel ?

1. Avez-vous eu un doute sur la réalité de ce personnage et de cette histoire pendant votre lecture ?
2. Quels éléments peuvent faire douter ?
3. L'hypothèse qu'Elzéard Bouffier est un personnage fictif change-t-elle la compréhension de ce récit ?

J'ANALYSE

Cherchez l'intrus

Voici cinq questions qui vont vous permettre d'entrer dans l'analyse de **L'homme qui plantait des arbres** *en attirant votre attention sur certains détails qui vous ont peut-être échappé à la lecture. Le but est ici de vous faire réfléchir, aucune réponse n'est donc évidente. Il s'agit à chaque fois d'une question pour laquelle trois réponses sont proposées, une seule est fausse. À vous de trouver laquelle !*

1 Les Alpes provençales décrites dans le livre ont-elles toujours été une terre désertique ?

Oui, depuis l'Antiquité c'est une terre retirée et inhabitée.

Non, il y avait des sources, des traces archéologiques le montrent.

Non, de nombreux villages émaillent encore le territoire, mais ils sont abandonnés.

2 Elzéard Bouffier abandonne-t-il définitivement la plantation d'érables ?

Il y a des érables, des chênes, des hêtres et des bouleaux dans « sa » forêt. Mais les érables ont pu pousser naturellement dans la renaissance générale du pays.

Il subit un premier échec, mais n'est pas homme à se laisser abattre et il persévère.

Oui, il renonce devant la mort des dix mille érables plantés.

3 Que sait-on de l'identité d'Elzéard ?

Elzéard est un solitaire qui a consacré son existence à la forêt.

Il n'a passé qu'une partie de sa vie à planter des arbres.

Il a été marié et a eu un enfant.

4 Le narrateur est-il passionné par la flore et les arbres d'Elzéard ?

Non, il avait presque oublié cette rencontre et n'a pas été véritablement marqué par le projet d'Elzéard.

Non, ce ne sont pas les arbres qui le fascinent mais Elzéard.

Oui, il parcourt la région à la recherche d'espèces rares.

5 Elzéard est-il un homme sympathique ?

Non, il ne parle pas beaucoup et fuit plutôt la compagnie des hommes.

Oui, il est accueillant et généreux.

Oui, car le narrateur estime que l'on se sent bien en sa compagnie.

Au cœur de la phrase

1. La proposition subordonnée relative

Corpus d'observation :

« J'avais un ami parmi les capitaines forestiers qui était de la délégation. » (P. 13.)

« Il s'était retiré dans la solitude où il prenait plaisir à vivre lentement… » (P. 8.)

« Il n'habitait pas une cabane mais une vraie maison en pierre où l'on voyait très bien comment son travail personnel avait rapiécé la ruine qu'il avait trouvée là à son arrivée. » (P. 5.)

« L'œuvre ne courut un risque grave que pendant la guerre de 1939. » (P. 14.)

« Le vent qui le frappait faisait sur les tuiles le bruit de la mer sur les plages. » (P. 5.)

« Le berger qui ne fumait pas alla chercher un petit sac… » (P. 6.)

« La guerre dont nous sortions à peine n'avait pas permis l'épanouissement complet de la vie… » (P. 15-16.)

Exercices

Premières observations :

1. À partir de vos connaissances, retrouvez dans le corpus la phrase qui ne contient pas de proposition subordonnée relative.

2. Utilisez les autres phrases du corpus pour proposer une définition de ce qu'est une proposition subordonnée relative.

Pour vous aider :

Une proposition subordonnée relative est, comme toute proposition, un groupe organisé autour d'un verbe. Elle est subordonnée au sens où elle n'est pas construite seule, mais attachée nécessairement à une autre proposition que l'on appelle alors **proposition principale**. Enfin, elle est dite « relative » parce que c'est un **pronom relatif** – qui, que, quoi, où, duquel(le), auquel(le), dont – qui la rattache à la principale. Or, c'est là sa particularité : ce pronom, qui reprend dans la subordonnée un mot de la principale, la rattache non pas à l'ensemble de la proposition principale, mais à ce mot ou groupe de mots, que l'on appelle **l'antécédent**. Une proposition subordonnée relative ne complète donc pas la proposition principale, **elle complète un mot ou groupe de mots** de la proposition principale, elle complète l'antécédent. Elle joue ainsi un rôle similaire à celui d'un adjectif ou d'un complément du nom, et l'on parle pour ces trois éléments d'**expansions du nom**.

Analysons cet exemple : « Ce sont des endroits où l'on vit mal. » (P. 6)
La proposition subordonnée relative « où l'on vit mal » se rattache à l'antécédent « endroits ». Elle complète cet antécédent en apportant une information supplémentaire sur ce mot et non sur l'ensemble de la proposition. Elle est interchangeable avec d'autres types d'expansions du nom : un adjectif épithète – « ce sont des endroits **durs** à vivre » –, ou un complément du nom – « ce sont des endroits **au climat difficile pour la vie** ».

Exercices

Dans le corpus d'observation, identifiez précisément chaque proposition subordonnée relative et son antécédent.

On peut identifier deux grands types de propositions relatives, selon les informations qu'elles apportent sur leur antécédent.

On dira de la proposition subordonnée relative qu'elle est **explicative** lorsqu'elle apporte une information complémentaire, et donc secondaire ou accessoire, et qu'elle est **déterminative** lorsqu'elle donne en revanche une information essentielle permettant d'identifier précisément son antécédent. Avec la **relative explicative**, on est du côté de la caractérisation et du commentaire sur l'antécédent ; avec la **relative déterminative**, on cherche davantage à désigner précisément l'antécédent.

Exercices

1. En reprenant et en comparant l'ensemble des propositions relatives du corpus d'observation, proposez un classement selon qu'elles sont déterminatives ou explicatives.

Relatives déterminatives	Relatives explicatives

2. Quels critères vous donnez-vous pour définir une proposition relative déterminative ?

3. Giono utilise une proposition relative déterminative que nous n'avons pas citée ici, saurez-vous la retrouver ?

4. En relisant la page 10, dites quel type de proposition subordonnée relative domine. Comment interpréter ce choix dans l'œuvre ?

2. Identifier les voix narratives

Exercices

1. À la page 7 (de «Arrivé à l'endroit» à «un soin extrême»), qui dit quoi ?
2. Qui prend en charge les paroles rapportées ?
3. Comment rendre compte de cela dans une lecture expressive de ce passage ?

Pour vous aider :

On peut entendre **plusieurs voix dans un récit** : celle du narrateur, celles des personnages, éventuellement même celle de l'auteur.

Les paroles des personnages, ou du narrateur quand il est lui-même un personnage (narrateur interne), sont des **paroles rapportées**.

Elles peuvent être **rapportées directement** (en utilisant un verbe introducteur, des guillemets pour marquer le début et la fin de ces propos, des tirets pour distribuer les répliques à l'intérieur d'un dialogue). Certains écrivains se passent des guillemets, mais conservent les verbes introducteurs et les tirets.

Il n'insista pas. «Pour la bonne raison, me dit-il après, que ce bonhomme en sait plus que moi.» Au bout d'une heure de marche, l'idée ayant fait son chemin en lui, il ajouta : «Il en sait beaucoup plus que tout le monde. Il a trouvé un sacré moyen d'être heureux !» (P. 13.)

Rapportées indirectement, les paroles sont prises en charge par le narrateur et c'est un verbe introducteur qui indique que les mots sont ceux d'un personnage et non du narrateur. Elles ne sont pas introduites par une ponctuation particulière, mais par une conjonction (que, si, quand, etc.). Transformées par le narrateur, ces paroles ne sont pas strictement celles prononcées par le personnage.

Il ajouta que, n'ayant pas d'occupations très importantes, il avait résolu de remédier à cet état de choses. (P. 8.)

Il existe deux autres manières de rapporter des propos.

On parle de **discours indirect libre** quand les paroles sont rapportées sans guillemets, tirets ni verbe introducteur. Elles sont directement intégrées dans le récit et l'on peut entendre la voix du personnage derrière celle du narrateur.

Cinquante-cinq, me dit-il. **Il s'appelait Elzéard Bouffier. Il avait possédé une ferme dans les plaines. Il y avait réalisé sa vie. Il avait perdu son fils unique, puis sa femme.** (P. 8.)

Ici, les mots en gras sont ceux que le personnage a sans doute dits lui-même. Le narrateur les intègre complètement à son récit, mais il est encore possible d'entendre la voix d'Elzéard.

Exercices

À la page 8, un autre passage au discours indirect libre rapporte des paroles d'Elzéard. Saurez-vous le retrouver ?

Exercices

1. Quel type de discours rapporté domine finalement dans **L'homme qui plantait des arbres** *? Parcourez l'œuvre pour identifier les différentes modalités choisies pour rapporter des paroles.*
2. Comment expliquer ce choix d'écriture ?
3. Ces paroles sont-elles nombreuses ? Quel paradoxe cela constitue-t-il ?

On parle de **discours narrativisé** quand les paroles prononcées par un personnage sont comme racontées, résumées par le narrateur. Il n'y a alors aucune marque de prise de parole. Seuls des verbes évoquant la parole montrent que quelque chose a été dit :

On prononça beaucoup de paroles inutiles. (P. 12.)

La construction du texte

1 Le narrateur désigne le personnage principal d'une manière qui évolue progressivement. En relevant ces différentes désignations, quelles étapes se dégagent du récit ?

Indiquez la formule employée pour désigner le personnage jusqu'à la page 8, et en face proposez un titre pour la partie du récit concernée.

Formule	Titre à trouver

2 Quel passage ne concerne pas Elzéard Bouffier dans les pages 4 à 8 ? De quoi parle alors le narrateur ?

3 Les pages qui précèdent la rencontre avec Elzéard Bouffier peuvent être subdivisées en deux parties distinctes. Choisissez un découpage et justifiez-le en déterminant à quelle forme de discours correspond chacune de ces parties.

4 De la page 9 à la page 17, par quoi est scandée l'avancée du récit ? Plusieurs réponses sont possibles. Justifiez précisément votre choix.

5 Reprenez les différentes étapes dégagées à partir de vos réponses précédentes pour les rassembler dans un tableau. Quelles sont les deux grandes parties qui apparaissent ? Comment expliquer que le rythme de la seconde soit plus lent ?

Les intentions de l'auteur : raconter

1. La question du genre

Le narrateur évoque un « récit » en parlant de ce texte. **On peut se demander néanmoins de quel genre il relève.**

Par sa taille, il pourrait s'agir d'une **nouvelle**. Si l'on s'attache aux éléments racontés, l'on pourrait penser à une forme de **biographie**, puisque Giono retrace la vie d'Elzéard Bouffier de ses cinquante-cinq ans à sa mort. Mais d'autres genres encore seraient possibles : **la parabole**, **la fable**, **le mythe**.

Exercices

1. En vous appuyant sur le texte et sur la première partie du dossier, choisissez un genre et proposez des éléments pour justifier votre choix.

2. En quoi le genre choisi par vous ou par un(e) de vos camarades change-t-il l'interprétation que vous pouvez faire de L'homme qui plantait des arbres ?

3. Pourquoi, selon vous, Giono ne donne-t-il pas d'indication claire au lecteur sur le genre de son texte ?

2. Un récit réaliste ?

Le réalisme, en art et en littérature, peut avoir deux sens. Il s'agit d'une part d'un mouvement artistique et culturel, d'autre part d'un registre, une manière d'écrire.

Le mouvement du réalisme correspond environ aux années 1850-1880. Il s'agit, en peinture comme dans le roman ou la nouvelle, de représenter la réalité banale et quotidienne (la ville, le monde ouvrier, des activités paysannes, etc.). Ce mouvement s'oppose à la représentation conventionnelle et idéalisée du monde, faisant intervenir en priorité des personnages nobles ou historiques. **C'est donc d'abord le sujet qui est réaliste**, avant la manière d'écrire.

Le registre réaliste, lui, implique de chercher à imiter le réel, à donner l'illusion du réel. Il s'agit de situer les actions dans des lieux et une époque existants, que le lecteur peut reconnaître. Les actions et les paroles des personnages doivent alors aussi correspondre à quelque chose que le lecteur perçoit comme possible, vraisemblable. Un conte de fées n'est pas réaliste, par exemple, puisqu'il fait intervenir des éléments magiques ou des personnages issus de l'imaginaire.

Exercices

1. *L'homme qui plantait des arbres vous paraît-il réaliste ? Formulez quelques arguments en vous fondant sur le texte.*
2. *Avec l'aide de vos cours de SVT ou en procédant à une recherche documentaire, précisez si les plantations d'Elzéard Bouffier sont possibles.*
3. *Quels éléments du récit peuvent être un marqueur de réalité ?*
4. *En reprenant les cartes et la chronologie données dans le dossier, ou en vous appuyant sur vos recherches, tentez de situer précisément dans le temps et dans l'espace Elzéard Bouffier.*
5. *Reprenez votre réponse à la question 1 et approfondissez-la en fonction de vos réponses aux questions 2, 3 et 4.*

3. Un récit objectif?

L'objectivité, c'est-à-dire le fait de rester dégagé de ce que l'on ressent en tant qu'auteur en écrivant, et son opposé, la subjectivité, c'est-à-dire le fait de laisser percevoir ce qu'on éprouve ou pense, sont des enjeux très présents dans le journalisme ou en matière de témoignage, beaucoup moins en littérature. En suivant la commande qui lui a été faite, Giono pourrait s'inscrire dans une écriture journalistique et s'efforcer de rester objectif dans son récit. Qu'en est-il?

Exercices

1. *Quels éléments permettent d'assimiler le narrateur à Giono?*
2. *En dehors de l'emploi du «je», quelles autres marques de subjectivité peut-on trouver dans le récit?*
3. *Quel type de discours est finalement développé ici? Peut-on parler de plaidoyer?*

Quelle vision de la société dans *L'homme qui plantait des arbres* ?

Comme pour un paysage en peinture, on peut se demander ici si Giono livre une vue authentique de la Provence ou une vision plus subjective. Au-delà de l'action d'Elzéard Bouffier et de sa dimension exemplaire, voire argumentative, quelques détails peuvent attirer l'attention du lecteur dans ce récit. Et comme on le ferait pour un tableau, il est possible de s'interroger sur leur signification dans l'œuvre.

Dénoncer la guerre ?

Pour certains lecteurs, *L'homme qui plantait des arbres* dénonce la guerre comme action destructrice des hommes. Quelle est votre lecture ?

Exercices

1. Retrouvez les passages où la guerre est évoquée.
2. Quelle image en donne le narrateur ?
3. Quelle est l'attitude d'Elzéard face à la guerre ?
4. Que devient sa forêt pendant les deux guerres mondiales ?
5. En quoi les effets produits par sa forêt sont-ils contraires à ceux produits par les guerres ?

L'homme victime ou nuisible?

1. À la page 3, le narrateur évoque les touristes. Pourquoi donner ce détail? Dans le contexte historique, à quoi est-ce que cela renvoie?

2. Quels problèmes pose aujourd'hui le tourisme pour la nature? Le récit de Giono les évoque-t-il?

3. Les hommes sont-ils à l'origine de la sécheresse du paysage décrit dans le récit?

4. Que font les nouveaux habitants décrits par le narrateur dans les dernières pages? Quel effet a leur présence sur la nature?

Résumons !

Voici 10 mots *que vous devez utiliser pour* composer un résumé *de* L'homme qui plantait des arbres.
Ils ne sont pas donnés dans un ordre à suivre et ils ne sont pas tous issus du livre, mais tous sont à utiliser et de façon équilibrée *dans un texte n'excédant pas* cent mots.

Ermite – garde – vallée – marche – semences – forêt – taries – croissance – acharnement – guerre(s).

Prolongements

- À deux ou à quatre, **comparez** ensuite vos productions. Avez-vous tous proposé le même texte ? **À quoi sont dues les différences** selon vous ?
- **Défendez votre lecture** du récit en proposant **trois mots à ajouter** absolument au résumé de vos camarades.

Exercices

Pour entrer plus précisément dans l'analyse du texte lui-même, voici un parcours dans divers passages ou extraits.

En répondant aux différentes questions globales sur un passage (*Questionnement au fil du texte*) ou à des questions plus précises sur un extrait (*Lecture à la loupe*), il s'agit de construire une compréhension plus fine et détaillée de l'œuvre.

À vos stylos !

QUESTIONNEMENT AU FIL DU TEXTE : L'INCIPIT

1. Pourquoi peut-on dire qu'il y a deux incipit dans les pages 3 à 5 ?

2. Giono ne semble pas aborder son récit comme un romancier. Quels éléments vont dans ce sens ?

3. Quel type de discours développe le narrateur dans le paragraphe commençant par « Cette région est délimitée… » (p. 3) ?

4. Portez votre attention sur les verbes conjugués des pages 3 et 4. Comment expliquer l'emploi de l'imparfait ? Qu'a-t-il de surprenant ?

5. Quelle image de la région donne ici le narrateur ?

6. À quoi peut s'attendre le lecteur après la lecture de ces premières pages ?

LECTURE À LA LOUPE :
LE PORTRAIT D'ELZÉARD,
(de «C'était un berger»
à «bienveillant sans bassesse», p. 4-5)

1. Avec quoi le narrateur confond-il Elzéard lorsqu'il l'aperçoit la première fois?
2. À quels détails s'attache principalement le narrateur dans le portrait qu'il brosse d'Elzéard? Pourquoi selon vous? Quelle impression se dégage ainsi du personnage?
3. Que ne décrit finalement pas le narrateur dans ce portrait?
4. Quel trait de caractère principal est ici souligné implicitement?
5. Comment expliquer le détail donné sur le chien d'Elzéard : «bienveillant sans bassesse»?

QUESTIONNEMENT AU FIL DU TEXTE :
LES VISITES DU NARRATEUR

1. Combien de visites à Elzéard Bouffier effectue le narrateur dans ce récit?
2. Comment expliquer que la première «n'avait pas marqué» en lui (p. 9)? Pourquoi cela peut-il même surprendre le lecteur?
3. Qu'est-ce qui évolue au fil de ces différentes visites?
4. Quelle est la place du narrateur dans cette ou ces évolutions?

LECTURE À LA LOUPE : LE PORTRAIT SOCIAL
(de « Et, au surplus, je connaissais »
à « presque toujours meurtrières », p. 5-6)

1. En relisant la page 6, pourquoi peut-on parler d'un portrait social ?
2. Quelle atmosphère se dégage de la description de cette population ? Quel mot, tiré de cet extrait, résumerait le mieux les relations entre ces gens ?
3. Quelle figure de style peut-on identifier dans « Les femmes mijotent des rancœurs » ? Comment l'interpréter ? À quoi pourrait-on finalement comparer les habitants ainsi décrits ?
4. Comparez ce passage avec la description qui est donnée du paysage p. 4. Que constate-t-on ?
5. Retrouvez les trois mouvements qui construisent ce passage. Quelle évolution peut-on percevoir dans le texte ?

QUESTIONNEMENT AU FIL DU TEXTE :
LA FORÊT ET LE PROGRÈS

1. Que signifie au sens propre et au sens figuré le progrès ? Pourquoi les deux sens sont-ils intéressants pour étudier ce livre ?
2. Quel progrès la forêt apporte-t-elle dans ce récit ?
3. De quel autre progrès est-il question dans *L'homme qui plantait des arbres* ?
4. Quelle vision en est donnée dans le récit ?

LECTURE À LA LOUPE : LA CRÉATION
(de «Les chênes de 1910» à «la générosité la plus magnifique?», p. 10-11, et de «Tout était changé» à «digne de Dieu», p. 15-17)

1. En utilisant le mot «création» à la page 10, que désigne le narrateur et à quoi fait-il référence ?
2. En quoi ce spectacle est-il «impressionnant» ?
3. À la page 16, le narrateur fait allusion au pays de Canaan. En vous appuyant sur le tableau de Poussin, *L'Automne*, comment pouvez-vous expliquer cette comparaison ?
4. À quel autre tableau de Poussin la description de la page 15 peut-elle faire penser ? Expliquez précisément pourquoi.
5. Dans le passage de «Tout était changé» à «l'on avait envie d'habiter», quels sens sont mobilisés ?

Jeu de lettres

Dans la grille ci-dessous sont cachés 34 mots, dont 18 ont un lien direct avec *L'homme qui plantait des arbres*. Retrouvez-les et surtout regroupez les termes concernant le récit de Giono en étant capables de justifier votre choix.

R	U	C	H	E	V	R	E
E	B	O	A	C	R	E	T
R	L	L	C	A	E	L	N
A	I	Z	G	N	S	O	A
B	C	A	E	A	U	S	L
L	L	A	Z	A	R	E	P
E	G	R	E	N	R	D	R
E	U	O	T	R	E	D	E
S	E	M	E	N	C	E	S
E	R	T	E	H	T	T	Y
T	R	V	E	R	I	T	E
E	E	N	E	U	O	E	N
Z	E	V	P	A	N	I	X

Le 20 sur 20

Avez-vous bien lu le livre et le dossier ? Les 10 premières questions concernent *L'homme qui plantait des arbres*, les 10 suivantes le dossier. Vous pouvez vous auto-évaluer en vérifiant les réponses qui sont à l'envers, à la page suivante.

1. Pourquoi le narrateur évoque-t-il la Seconde Guerre mondiale ?
2. Pourquoi le rythme auquel se voient les deux hommes est-il important ?
3. Quelle est la place des autres figures évoquées dans le livre ?
4. Quel est le rôle des fontaines dans ce récit ?
5. Quel rôle le narrateur joue-t-il ?
6. Quelle image du paysage le narrateur donne-t-il au début du récit ?
7. Quel trait de caractère domine chez Elzéard Bouffier ?
8. Pourquoi Elzéard ne reste-t-il pas berger ?
9. Quelle importance a sa vie d'avant ?
10. À quoi peut-on comparer le premier paragraphe du livre ?

11. Citez un élément qui rapproche le narrateur de Giono.
12. Est-ce un livre qui dénonce la guerre ?
13. Quel personnage biblique rappelle Elzéard ?
14. Pourquoi le mot « chêne » vient-il du gaulois et non du latin ?
15. Quels autres arts pratiquait Jean Giono ?
16. Le narrateur de ce récit a-t-il existé ?
17. Qu'apporte une proposition subordonnée relative à un texte ?
18. Combien entend-on de voix dans ce récit ?
19. Quand paraît ce livre, quelle est la place des associations de défense de la nature ?
20. En 1973, quel genre de romans un lecteur français peut-il lire ?

12. La guerre est comme mise en échec par ce que réalise le berger. Elle est symboliquement vaincue dans ce récit qui, du même coup, la présente comme mortifère et destructrice.

13. Le nom d'Elzéard est inspiré de celui de Lazare, que Jésus ressuscite.

14. Le chêne était un arbre sacré pour les druides. Son nom gaulois a donc perduré dans le nord de la Gaule et le mot latin ne s'est pas imposé. Il n'est sans doute pas anodin que Giono ait choisi pour son récit un arbre au caractère sacré.

15. Giono a surtout écrit des récits mais il a aussi pratiqué le théâtre et le cinéma.

16. Elzéard Bouffier est une invention de l'écrivain. Son narrateur est donc également fictif, même s'il ressemble considérablement à Giono.

17. Une proposition subordonnée relative est une expansion du nom, elle donne donc des informations supplémentaires sur un mot ou un groupe de mots. Un texte qui emploie de nombreuses propositions subordonnées relatives a une dimension descriptive plus importante.

18. On entend au moins trois voix dans ce récit : celle du narrateur, plus rarement celle du berger, mais aussi celle du garde forestier.

19. Dans les années 1950, la préoccupation pour la défense de la nature en est à ses débuts. La première organisation internationale de préservation de l'environnement ne date que de 1948.

20. Les années 1970 sont marquées par l'école du Nouveau Roman. Les lecteurs continuent néanmoins d'apprécier des auteurs comme Maurice Genevoix, Colette ou les romanciers réalistes du xixe siècle.

RÉPONSES

1. C'est un moment où la forêt d'Elzéard est menacée. Les automobiles à gazogène ont alors besoin de beaucoup de bois pour fonctionner.

2. Le rythme de leurs rencontres correspond au rythme du récit mais surtout au rythme de croissance de la forêt. D'une visite à l'autre, le narrateur trouve le paysage métamorphosé.

3. C'est une place symbolique. Les habitants se transforment comme le paysage, d'animaux en lutte ils deviennent des paysans heureux. Le garde forestier, comme les autres fonctionnaires, incarne un pouvoir politique inutile et impuissant.

4. Élément de vie, l'eau, et donc les fontaines, est ce qui manque au début du récit et revient miraculeusement à la fin. C'est aussi ce qui provoque la rencontre du narrateur et d'Elzéard, car le narrateur cherche désespérément de l'eau quand il aperçoit au loin le berger et va vers lui.

5. Le narrateur est un témoin, presque un apôtre qui diffuse l'exploit d'Elzéard. Il est aussi celui qui donne les leçons à tirer de cette vie exemplaire.

6. Au début du récit, le paysage apparaît comme violent, hostile à la vie.

7. Le principal trait de caractère du berger est l'obstination. Il parle peu, il est ordonné, mais surtout il n'abandonne à aucun moment son projet de faire renaître une forêt.

8. Il ne reste pas berger car il craint que les moutons s'en prennent aux jeunes pousses. Il devient apiculteur car les abeilles ne sont pas dangereuses pour ses arbres.

9. Les quelques détails sur la vie d'Elzéard permettent de lui donner des traits d'humanité ordinaire. Cela contribue à la mythification.

10. Le premier paragraphe ressemble à une morale. Cela rapproche le récit d'un conte, d'une fable ou d'une parabole.

11. L'expérience de la guerre et surtout la mobilisation en 1914 est un des points communs entre le narrateur et Giono.

À nous de jouer

Traduire l'évolution
des personnages et du récit

Si nous nous concentrons sur le narrateur, essayons de comparer deux passages du récit.

1 D'abord relisons cet extrait :

« Il me fallut lever le camp. À cinq heures de marche de là, je n'avais toujours pas trouvé d'eau et rien ne pouvait me donner l'espoir d'en trouver. C'était partout la même sécheresse, les mêmes herbes ligneuses. Il me sembla apercevoir dans le lointain une petite silhouette noire, debout. Je la pris pour le tronc d'un arbre solitaire. À tout hasard, je me dirigeai vers elle. C'était un berger. Une trentaine de moutons couchés sur la terre brûlante se reposaient près de lui.

Il me fit boire à sa gourde et, un peu plus tard, il me conduisit à sa bergerie, dans une ondulation du plateau. Il tirait son eau, excellente, d'un trou naturel, très profond, au-dessus duquel il avait installé un treuil rudimentaire.

Cet homme parlait peu. C'est le fait des solitaires, mais on le sentait sûr de lui et confiant dans cette assurance. C'était insolite dans ce pays dépouillé de tout. Il n'habitait pas une cabane mais une vraie maison en pierre où l'on voyait très bien comment son travail personnel avait rapiécé la ruine qu'il avait trouvée là à son arrivée. Son toit était solide et étanche. Le vent qui le frappait faisait sur les tuiles le bruit de la mer sur les plages. Son ménage était en ordre, sa vaisselle lavée, son parquet balayé, son fusil graissé ; sa soupe bouillait sur le feu. Je remarquai alors qu'il était aussi rasé de frais, que tous ses boutons étaient solidement cousus, que ses vêtements étaient reprisés avec le soin minutieux qui rend les reprises invisibles.

Il me fit partager sa soupe et, comme après je lui offrais ma blague à tabac, il me dit qu'il ne fumait pas. Son chien, silencieux comme lui, était bienveillant sans bassesse.»

Exercices

1. *Quels sentiments peut-on percevoir ici chez le narrateur?*
2. *Repérez certains mots sur lesquels il convient d'insister pour en rendre compte dans la lecture.*

2 Ensuite, reprenons ce passage :

«Tout était changé. L'air lui-même. Au lieu des bourrasques sèches et brutales qui m'accueillaient jadis, soufflait une brise souple chargée d'odeurs. Un bruit semblable à celui de l'eau venait des hauteurs : c'était celui du vent dans les forêts. Enfin, chose plus étonnante, j'entendis le vrai bruit de l'eau coulant dans un bassin. Je vis qu'on avait fait une fontaine, qu'elle était abondante et, ce qui me toucha le plus, on avait planté près d'elle un tilleul qui pouvait déjà avoir dans les quatre ans, déjà gras, symbole incontestable d'une résurrection.

Par ailleurs, Vergons portait les traces d'un travail pour l'entreprise duquel l'espoir est nécessaire. L'espoir était donc revenu. On avait déblayé les ruines, abattu les pans de murs délabrés et reconstruit cinq maisons. Le hameau comptait désormais vingt-huit habitants dont quatre jeunes ménages. Les maisons neuves, crépies de frais, étaient entourées de jardins potagers où poussaient, mélangés mais alignés, les légumes et les fleurs, les choux et les rosiers, les poireaux et les gueules-de-loup, les céleris et les anémones. C'était désormais un endroit où l'on avait envie d'habiter.

À partir de là, je fis mon chemin à pied. La guerre dont nous sortions à peine n'avait pas permis l'épanouissement complet de la vie, mais Lazare était hors du tombeau. Sur les flancs abaissés de la montagne, je voyais de petits champs d'orge et de seigle en herbe ; au fond des étroites vallées, quelques prairies verdissaient.

Il n'a fallu que les huit ans qui nous séparent de cette époque pour que tout le pays resplendisse de santé et d'aisance. Sur l'emplacement des ruines que j'avais vues en 1913, s'élèvent maintenant des fermes propres, bien crépies, qui dénotent une vie heureuse et confortable. Les vieilles sources, alimentées par les pluies et les neiges que retiennent les forêts, se sont remises à couler. On en a canalisé les eaux. À côté de chaque ferme, dans des bosquets d'érables, les bassins des fontaines débordent sur des tapis de menthe fraîche. Les villages se sont reconstruits peu à peu. Une population venue des plaines où la terre se vend cher s'est fixée dans le pays, y apportant de la jeunesse, du mouvement, de l'esprit d'aventure. On rencontre dans les chemins des hommes et des femmes bien nourris, des garçons et des filles qui savent rire et ont repris goût aux fêtes campagnardes. Si on compte l'ancienne population, méconnaissable depuis qu'elle vit avec douceur, et les nouveaux venus, plus de dix mille personnes doivent leur bonheur à Elzéard Bouffier. »

Exercices

1. **Quelle impression domine ici ?**
2. **Quelles tournures de phrases (adverbes, conjonctions de subordination, place des compléments circonstanciels) contribuent à cette tonalité ?**
3. **Préparez à présent la lecture à voix haute de ces deux extraits. Proposez votre lecture expressive à la classe, qui devra caractériser l'évolution que vous avez voulu souligner.**

Donner lecture

L'homme qui plantait des arbres a été adapté en film d'animation par Frédéric Back. Le récit est mis en voix par l'acteur Philippe Noiret. Écoutez les premières minutes de cette animation, jusqu'à la rencontre avec Elzéard Bouffier.

Exercices

1. Comparez le rythme de la lecture et celui des images. Quelles remarques pouvez-vous faire ?

2. Quel ton adopte Philippe Noiret ? Quelle impression cela donne-t-il du texte de Giono ?

3. Proposez à votre tour une mise en voix, que vous pouvez enregistrer sur les images, et expliquez quelle impression de lecture vous avez voulu souligner.

Débattre de l'œuvre pour l'interpréter :
La guerre joue-t-elle un rôle central dans ce récit ?

Vous l'avez constaté, les lecteurs peuvent donner à *L'homme qui plantait des arbres* des interprétations différentes. Elles peuvent toutes être défendues, si chacun argumente son point de vue.

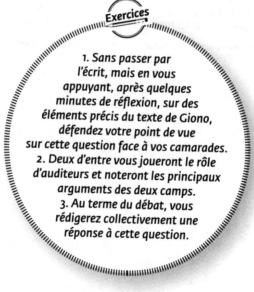

Exercices

1. Sans passer par l'écrit, mais en vous appuyant, après quelques minutes de réflexion, sur des éléments précis du texte de Giono, défendez votre point de vue sur cette question face à vos camarades.

2. Deux d'entre vous joueront le rôle d'auditeurs et noteront les principaux arguments des deux camps.

3. Au terme du débat, vous rédigerez collectivement une réponse à cette question.

Un débat de société :
L'utilité de l'intervention humaine dans la protection de la nature

Le rapport de l'homme à l'environnement occupe aujourd'hui une place importe dans la vie sociale et politique, sous le nom d'**écologie**.

1. Choisissez d'abord votre camp : pour ou contre l'intervention des hommes sur le paysage.

2. Relisez les pages 12-14 (de « En 1933, il reçut la visite » à « comme il avait ignoré la guerre de 14 »), puis formulez au brouillon vos premiers arguments. Enrichissez de vos propres arguments ceux qui sont listés dans le tableau qui suit.

3. Défendez ensuite votre opinion face à vos camarades.

Pour la protection de la nature	Contre la protection de la nature
• La nature est un bien commun, à protéger. • La nature n'est pas immuable, la Terre a déjà connu de grandes modifications. • L'homme est destructeur.	• Depuis toujours, la nature a évolué sans dommage particulier. • La nature sait se réguler sans intervention humaine. • Parfois, l'intervention de l'homme fait plus de mal que de bien.

PROLONGE-
MENTS

Groupement de textes : « L'être humain est-il maître de la nature ? »

Le Grand Troupeau
Jean Giono (1931)
(Éditions Gallimard, « Folio » n° 760)

Dans ce récit, Jean Giono (1895-1970) relate avec un réalisme aussi original que saisissant son expérience de la Grande Guerre. On y suit en particulier le personnage d'Olivier, qui rejoint les combats et en revient traumatisé. Le titre lui-même porte la métaphore qui assimile les soldats à du bétail. L'extrait ci-dessous correspond au début du roman. Sous les fenêtres de villageois, passe un troupeau de moutons qui tente de rejoindre d'autres pâturages.

Devant les moutons, l'homme était seul.

Il était seul. Il était vieux. Il était las à mort. Il n'y avait qu'à voir son traîné de pied, le poids que le bâton pesait dans sa main. Mais il devait avoir la tête pleine de calcul et de volonté.

Il était blanc de poussière de haut en bas comme une bête de la route. Tout blanc.

Il repoussa son chapeau en arrière et puis, de ses doigts lourds, il s'essuya les yeux ; et il eut comme ça, dans tout ce blanc, les deux larges trous rouges de ses yeux malades de sueur. Il regarda tout le monde de son regard volontaire. Sans un mot, sans siffler, sans gestes, il tourna le coude de la route et on vit alors ses yeux aller au fond de la ligne droite de la route, là-bas, jusqu'au fond et il voyait tout : la peine et le soleil. D'un coup de bras, il rabaissa le chapeau sur sa figure, et il passa en traînant ses pieds.

Et, derrière lui, il n'y avait pas de bardot portant le bât, ni d'ânes chargés de couffes, non ; seulement, devançant les moutons de trois pas, juste après l'homme, une grande bête toute noire et qui avait du sang sous le ventre.

La bête prit le tournant de la route. Cléristin avait mis ses lunettes. Il plissa le nez et il regarda :

« Mais, c'est le bélier, il dit, c'est le mouton maître. C'est le bélier ! »

On fit oui de la tête autour de lui. On voyait le bélier qui perdait son sang à fil dans la poussière et on voyait aussi la dure volonté de l'homme qui poussait tous les pas en avant sur le malheur de la route.

Cléristin enleva son chapeau et se gratta la tête à pleins doigts. Burle se pencha hors de sa fenêtre pour suivre des yeux, le plus loin qu'il pouvait, ce bélier sanglant. Il avait été patron berger dans le temps. Il se pencha, son cataplasme se décolla de ses poils de poitrine.

« C'est gâcher la vie, il disait, c'est gâcher la vie… »

Enfin, il remonta son cataplasme, il se recula et il ferma sa fenêtre avec un bon coup sur l'espagnolette.

Le vieux berger était déjà loin, là-bas dans la pente. Ça suivait tout lentement derrière lui. C'étaient des bêtes de taille presque égale serrées flanc à flanc, comme des vagues de boue, et, dans leur laine il y avait de grosses abeilles de la montagne prisonnières, mortes ou vivantes. Il y avait des fleurs et des épines ; il y avait de l'herbe toute verte entrelacée aux jambes. Il y avait un gros rat qui marchait en trébuchant sur le dos des moutons. Une ânesse bleue sortit du courant et s'arrêta, jambes écartées. L'ânon s'avança en balançant sa grosse tête, il chercha la mamelle et, cou tendu, il se mit à pomper à pleine bouche en tremblant de la queue. L'ânesse regardait les hommes avec ses beaux yeux moussus comme des pierres de forêt. De temps en temps elle criait parce que l'ânon tétait trop vite.

C'étaient des bêtes de bonne santé et de bon sentiment, ça marchait encore sans boiter. La grosse tête épaisse, aux yeux morts, était pleine encore des images et des odeurs de la montagne. Il y avait, par là-bas devant, l'odeur du bélier maître, l'odeur d'amour et de brebis folle ; et les images de la montagne. Les têtes aux yeux morts dansaient de haut en bas, elles flottaient dans les images de la montagne et mâchaient doucement le goût des herbes anciennes : le vent de la nuit qui vient faire son nid dans la laine des oreilles et les agneaux couchés comme du lait dans l'herbe fraîche, et les pluies !…

Le troupeau coule avec son bruit d'eau, il coule à route pleine ; de chaque côté il frotte contre les maisons et les murs des jardins. L'ânon s'arrête de téter, il est ivre. Il tremble sur ses pattes. Un fil de lait coule de son museau. L'ânesse lèche les yeux du petit âne, puis elle se tourne, elle s'en va, et l'ânon marche derrière elle.

Vint un autre bélier, et on le chercha d'abord sans le voir ; on entendait sa campane[1], mais rien ne dépassait les dos des moutons et on cherchait le long de la troupe. Et puis on le vit : c'était un mâle à pompons noirs. Ses deux larges cornes en tourbillons s'élargissaient comme des branches de chêne. Il avait posé ses cornes sur le dos des moutons, de chaque côté de lui et il faisait porter sa lourde tête ; sa tête branchue flottait sur le flot des bêtes comme une souche de chêne sur la Durance d'orage. Il avait du sang caillé sur ses dents et dans ses babines.

Le détour de la route le poussa au bord. Il essaya de porter sa tête tout seul, mais elle le tira vers la terre, il lutta des genoux de devant, puis s'agenouilla. Sa tête était là, posée sur le sol comme une chose morte. Il lutta des jambes de derrière, enfin il tomba dans la poussière, comme un tas de laine coupée. Il écarta ses cuisses à petits coups douloureux : il avait tout l'entre-cuisse comme une boue de sang avec, là-dedans, des mouches et des abeilles qui bougeaient et deux œufs rouges qui ne tenaient plus au ventre que par un nerf gros comme une ficelle.

Burle était revenu à sa fenêtre, derrière ses vitres, on lui voyait bouger les lèvres :

« Gâcher la vie ! Gâcher la vie ! »

Et Cléristin se parlait à voix haute. Il ne disait rien à personne, il parlait comme ça, devant lui, pour rien, pour vomir ce grand mal qui était en lui maintenant du départ de ses fils sur l'emplein des routes.

---

1. Sa cloche.

Questions

1. Quelle est la situation dans cet extrait ? Qui est le vieil homme ? Qui voit cette scène ?
2. L'ânesse ne fait pas partie du troupeau. Symboliquement, quel est son rôle dans ce passage ?
3. Que permettent de comprendre les réactions de Burle et de Cléristin à la fin de l'extrait ?
4. Relevez les éléments qui montrent que l'ordre de la nature est bouleversé.
5. Quel(s) sentiment(s) le lecteur peut-il éprouver à la lecture de cet extrait ?
6. Que représentent ces moutons et ce bélier ?

Poésies – Les Cahiers de Douai

Arthur Rimbaud (1870)

(« Poésie/Gallimard »)

Ce poème d'Arthur Rimbaud (1854-1891), parmi ses plus célèbres, évoque la guerre de 1870 qui opposa la France aux États allemands conduits par la Prusse et qui entraîna la chute de Napoléon III et du Second Empire. Rimbaud, qui grandit dans les Ardennes et qui écrit ce poème encore adolescent, a pu être lui-même témoin d'une telle scène, nécessairement marquante.

LE DORMEUR DU VAL

C'est un trou de verdure où chante une rivière,
Accrochant follement aux herbes des haillons
D'argent ; où le soleil, de la montagne fière,
Luit : c'est un petit val qui mousse de rayons.

Un soldat jeune, bouche ouverte, tête nue,
Et la nuque baignant dans le frais cresson bleu,
Dort ; il est étendu dans l'herbe, sous la nue,
Pâle dans son lit vert où la lumière pleut.

Les pieds dans les glaïeuls, il dort. Souriant comme
Sourirait un enfant malade, il fait un somme :
Nature, berce-le chaudement : il a froid.

Les parfums ne font pas frissonner sa narine ;
Il dort dans le soleil, la main sur sa poitrine,
Tranquille. Il a deux trous rouges au côté droit.

Questions

1. Ce poème n'est pas narratif. Quelle forme de discours domine ici ?
2. Qui est, en fait, ce « dormeur » ? Traduisez en une phrase simple la situation.
3. Quelle image de la nature nous donnent les deux premières strophes ?
4. Comment est introduit le « dormeur » ? Quels éléments sont perturbants dès son apparition dans le poème et jusqu'au dernier vers ?
5. Le rôle de la nature est modifié au fil du poème. À quel moment change-t-il ? Comment définiriez-vous ce rôle ?
6. Montrez en quelques lignes sur quoi s'appuie ici la dénonciation de la violence de la guerre.

Les Planches courbes
Yves Bonnefoy (2001)
(Mercure de France, repris en « Poésie/Gallimard »)

Yves Bonnefoy (1923-2016) est un poète contemporain, qui a traversé le siècle et écrit jusqu'à sa mort. Très prolifique, il a publié de nombreux ouvrages de poésie, dans lesquels la nature et la place de l'homme face au monde ne sont jamais absentes. Il était aussi traducteur, notamment de Shakespeare. Bonnefoy met au cœur de ce bref recueil la question de la finitude, l'inévitable fin de toute chose, dans un rapport sensible au monde qui lui permet aussi d'exploiter la plasticité de la langue. « Que ce monde demeure » est extrait de la première section du recueil, « La pluie d'été », et regroupe huit poèmes dont les trois premiers seulement sont donnés à lire ici.

QUE CE MONDE DEMEURE

I

Je redresse une branche
Qui s'est rompue. Les feuilles
Sont lourdes d'eau et d'ombre
Comme ce ciel, d'encore.

Avant le jour. Ô terre,
Signes désaccordés, chemins épars,
Mais beauté, absolue beauté,
Beauté de fleuve.

Que ce monde demeure,
Malgré la mort !
Serrée contre la branche
L'olive grise.

II

Que ce monde demeure,
Que la feuille parfaite
Ourle à jamais dans l'arbre
L'imminence du fruit !

Que les huppes, le ciel
S'ouvrant, à l'aube,
S'envolent à jamais, de dessous le toit
De la grange vide,

Puis se posent, là-bas
Dans la légende,
Et tout est immobile
Une heure encore.

III

Que ce monde demeure !
Que l'absence, le mot
Ne soient qu'un, à jamais,
Dans la chose simple.

L'un à l'autre ce qu'est
La couleur à l'ombre,
L'or du fruit mûr à l'or
De la feuille sèche.

Et ne se dissociant
Qu'avec la mort
Comme brillance et eau quittent la main
Où fond la neige.

Questions

1. À la première lecture, quelle difficulté pose le rythme de ce poème ?
2. À quel type de texte peut-il faire penser ?
3. Quels sens du mot « demeure » sont ici exploités ?
4. Quels éléments renvoient à la fragilité du monde ?
5. Quelle est la place de la nature dans ces vers ?
6. Que voudrait retenir le poète ? Quelle angoisse exprime-t-il ?

Les Destinées
Alfred de Vigny (1864, posthume)
(« Poésie/Gallimard »)

Poète romantique, de la génération de Chateaubriand et de Victor Hugo, Alfred de Vigny (1797-1863) est aussi un dramaturge, connu pour Chatterton *notamment. Il est également l'auteur d'un roman historique :* Cinq-Mars, *qui retrace avec vie la conspiration nobiliaire contre Richelieu et Louis XIII. Dans « La Maison du Berger », il livre en particulier sa vision du progrès technique et dit le trouble qu'il fait naître.*

LA MAISON DU BERGER

Si ton corps frémissant des passions secrètes,
S'indigne des regards, timide et palpitant ;
S'il cherche à sa beauté de profondes retraites
Pour la mieux dérober au profane insultant ;
Si ta lèvre se sèche au poison des mensonges,
Si ton beau front rougit de passer dans les songes
D'un impur inconnu qui te voit et t'entend,

Pars courageusement, laisse toutes les villes ;
Ne ternis plus tes pieds aux poudres du chemin
Du haut de nos pensers vois les cités serviles
Comme les rocs fatals de l'esclavage humain.
Les grands bois et les champs sont de vastes asiles,
Libres comme la mer autour des sombres îles.
Marche à travers les champs une fleur à la main.

La Nature t'attend dans un silence austère ;
L'herbe élève à tes pieds son nuage des soirs,
Et le soupir d'adieu du soleil à la terre
Balance les beaux lys comme des encensoirs.
La forêt a voilé ses colonnes profondes,
La montagne se cache, et sur les pâles ondes
Le saule a suspendu ses chastes reposoirs.

Le crépuscule ami s'endort dans la vallée,
Sur l'herbe d'émeraude et sur l'or du gazon,
Sous les timides joncs de la source isolée
Et sous le bois rêveur qui tremble à l'horizon,
Se balance en fuyant dans les grappes sauvages,
Jette son manteau gris sur le bord des rivages,
Et des fleurs de la nuit entrouvre la prison.

Il est sur ma montagne une épaisse bruyère
Où les pas du chasseur ont peine à se plonger,
Qui plus haut que nos fronts lève sa tête altière,
Et garde dans la nuit le pâtre et l'étranger.
Viens y cacher l'amour et ta divine faute ;
Si l'herbe est agitée ou n'est pas assez haute,
J'y roulerai pour toi la Maison du Berger.

Elle va doucement avec ses quatre roues,
Son toit n'est pas plus haut que ton front et tes yeux
La couleur du corail et celle de tes joues
Teignent le char nocturne et ses muets essieux.
Le seuil est parfumé, l'alcôve est large et sombre,
Et là, parmi les fleurs, nous trouverons dans l'ombre,
Pour nos cheveux unis, un lit silencieux.

Je verrai, si tu veux, les pays de la neige,
Ceux où l'astre amoureux dévore et resplendit,
Ceux que heurtent les vents, ceux que la mer assiège,
Ceux où le pôle obscur sous sa glace est maudit.
Nous suivrons du hasard la course vagabonde.
Que m'importe le jour ? que m'importe le monde ?
Je dirai qu'ils sont beaux quand tes yeux l'auront dit.

Que Dieu guide à son but la vapeur foudroyante
Sur le fer des chemins qui traversent les monts,
Qu'un Ange soit debout sur sa forge bruyante,
Quand elle va sous terre ou fait trembler les ponts
Et, de ses dents de feu, dévorant ses chaudières,
Transperce les cités et saute les rivières,
Plus vite que le cerf dans l'ardeur de ses bonds !

Oui, si l'Ange aux yeux bleus ne veille sur sa route,
Et le glaive à la main ne plane et la défend,
S'il n'a compté les coups du levier, s'il n'écoute
Chaque tour de la roue en son cours triomphant,
S'il n'a l'œil sur les eaux et la main sur la braise
Pour jeter en éclats la magique fournaise,
Il suffira toujours du caillou d'un enfant.

Sur le taureau de fer qui fume, souffle et beugle,
L'homme a monté trop tôt. Nul ne connaît encor
Quels orages en lui porte ce rude aveugle,
Et le gai voyageur lui livre son trésor,
Son vieux père et ses fils, il les jette en otage
Dans le ventre brûlant du taureau de Carthage,
Qui les rejette en cendre aux pieds du Dieu de l'or.

Mais il faut triompher du temps et de l'espace,
Arriver ou mourir. Les marchands sont jaloux.
L'or pleut sous les chardons de la vapeur qui passe,
Le moment et le but sont l'univers pour nous.
Tous se sont dit : « Allons ! » Mais aucun n'est le maître
Du dragon mugissant qu'un savant a fait naître ;
Nous nous sommes joués à plus fort que nous tous.

Questions

1. À qui peut s'adresser ici le poète ?
2. À quel moment introduit-il une rupture dans son poème ?
3. Dans les cinq premières strophes, quelle image de la nature déploie-t-il ?
4. Comment expliquer l'image « l'or du gazon » ?
5. Que nous apprennent les strophes 6 et 7 ? En quoi sont-elles particulièrement lyriques ?
6. Que peut être « la vapeur foudroyante » de la strophe 8 ?
7. Relevez les éléments qui soulignent sa violence. À quoi s'oppose-t-elle ?
8. Quelle vision du progrès livre ici Alfred de Vigny ?

Ravage
René Barjavel (1943)
(Éditions Denoël, repris en « Folioplus classiques »)

Ce roman d'anticipation de René Barjavel (1911-1985) met en scène François Des-
champs, dont le nom porte les origines : il vient de la campagne et vit à Paris. Dans
cet univers futuriste, tout est envahi par la technologie. Une panne d'électricité va
laisser les hommes violemment livrés à eux-mêmes.

Quant au lait, sa production chimique était devenue si abondante que chaque foyer le recevait à domicile, à côté de l'eau chaude, de l'eau froide et de l'eau glacée, par canalisations. Il suffisait d'adapter au robinet de lait un ravissant petit instrument chromé pour obtenir, en quelques minutes, une motte excellente de beurre. Toute installation comportait un robinet bas, muni d'un dispositif tiédisseur, auquel s'ajustait une tétine. Les mères y alimentaient leurs chers nourrissons.

François Deschamps, restauré, prit le chemin de son domicile. Montparnasse sommeillait, bercé d'un océan de bruits. L'air, le sol, les murs vibraient d'un bruit continu, bruit de cent mille usines qui tournaient nuit et jour, des millions d'autos, des innombrables avions qui parcouraient le ciel, des panneaux hurleurs de la publicité parlante, des postes de radio qui versaient par toutes les fenêtres ouvertes leurs chansons, leur musique et les voix enflées des speakers. Tout cela composait un grondement énorme et confus auquel les oreilles s'habituaient vite, et qui couvrait les simples bruits de vie, d'amour et de mort des vingt-cinq millions d'êtres humains entassés dans les maisons et dans les rues.

Vingt-cinq millions, c'était le chiffre donné par le dernier recensement de la population de la capitale. Le développement de la culture en usine avait ruiné les campagnes, attiré tous les paysans vers les villes qui ne cessaient de croître. […]

Pendant les cinquante dernières années, les villes avaient débordé de ces limites rondes qu'on leur voit sur les cartes du xxᵉ siècle. Elles s'étaient déformées, étirées le long des voies ferrées, des autostrades, des cours d'eau. Elles avaient fini par se rejoindre et ne formaient plus qu'une seule agglomération en forme de dentelle, un immense réseau d'usines, d'entrepôts, de cités ouvrières, de maisons bourgeoises, d'immeubles champignons.

Les anciennes cités, placées aux carrefours de cette ville-serpent, gardaient leurs noms antiques. Les villes nouvelles, divisées en tronçons d'égale longueur, avaient reçu en baptême un numéro, dont les chiffres étaient déterminés par leur situation géographique.

Entre ces villes-artères, la nature retournait à l'état sauvage. Une mer de buissons avait envahi les campagnes abandonnées, bouché les sentiers, recouvert les ruines des anciens habitats inconfortables. Dans cette brousse subsistaient quelques oasis de champs cultivés auxquels s'accrochaient des paysans obstinés.

Une partie de la France avait échappé à cette évolution. En effet, une plante restait rebelle à la culture en bacs : la vigne. De même, l'état de la technique ne permettait pas encore de cultiver les arbres fruitiers en usines. Si bien que le midi de la France, devenu un immense verger, produisait des fruits pour le reste du continent. La vallée du Rhône s'était couverte de serres chauffées et éclairées électriquement, où mûrissaient tous les fruits en toutes saisons. La Provence du Sud-Est, par contre, lente à se laisser pénétrer par les progrès, cultivait encore à l'air libre. Les paysans en profitaient pour faire pousser à l'ancienne mode, en même temps que la poire et la cerise, du blé et d'autres céréales. Ils pétrissaient leur pain eux-mêmes, élevaient poules, vaches et cochons, se cramponnaient au passé tout simplement parce qu'ils préféraient dépenser beaucoup d'énergie plutôt qu'un peu d'argent. […]

À part ces régions, dont le progrès n'avait pas encore libéré les habitants, les campagnes se trouvaient complètement désertées.

Dans les trous de la Ville Dentelle, la forêt vierge renaissait.

Questions

1. Dans le deuxième paragraphe, quelles inventions modernes de la vie quotidienne Barjavel n'a-t-il pas anticipées ? À l'inverse, relevez au moins deux évolutions qui ont effectivement eu lieu.

2. Quelle place occupe la nature dans cet extrait ?

3. Quelles hypothèses le nom du personnage permet-il de faire sur son rôle dans le récit ?

4. Quels éléments (lexicaux ou stylistiques) renvoient ici à un rapport de force ?

5. Comment qualifier le ton du narrateur ? L'auteur se montre ironique. Démontrez-le en quelques lignes.

6. Que dénonce cet extrait ?

Histoire des arts

Le paysage naît en peinture avec l'art religieux. Il est d'abord un élément symbolique qui permet de situer un personnage biblique dans un lieu que le public peut reconnaître comme un code. Il se développe ensuite au XVe siècle avec l'introduction de la peinture à l'huile qui permet de représenter des détails fins. Il garde cependant sa valeur symbolique et entre dans le tableau comme un décor, comme un symbole de vie ou de grandeur. C'est avec les peintres flamands et italiens du XVIe siècle, comme les frères Bril ou **Annibal Carrache**, que le paysage commence à occuper une place centrale jusqu'à devenir le sujet du tableau et un genre à part entière. Il est alors souvent accompagné d'une scène historique ou religieuse, mais qui devient prétexte à représenter une vue de la nature. Pour autant, le but n'est pas de montrer la nature telle qu'elle est. Si les peintres vont dans la campagne environnante observer le réel, ils en donnent une image idéalisée, c'est-à-dire réorganisée et remodelée pour en exploiter la beauté. Au XVIIe siècle, époque classique dans les arts, le paysage est un sujet à part entière, comme chez Claude Gelée dit Le Lorrain ou chez **Nicolas Poussin**. On retrouve dans l'art des jardins la même idéalisation, comme à Versailles où les jardins de Le Nôtre sont de véritables sculptures de la nature et non la nature à son état spontané. Il faudra attendre le XIXe siècle et l'école de Barbizon, par exemple, pour que les peintres aillent poser leur chevalet en pleine nature pour peindre « sur le motif » ce qu'ils voient.

Représenter un paysage n'est donc pas nécessairement parler de la nature. C'est aussi questionner les techniques picturales (comment introduire la perspective ? Quelle composition ? Quel format ?). C'est surtout livrer une vision plus qu'une simple vue, comme le ferait une carte postale.

Paysage fluvial (vers 1599)
ANNIBAL CARRACHE (1560-1609)

HUILE SUR TOILE, 88,3 × 148,1 cm
WASHINGTON, NATIONAL GALLERY OF ART
PHOTO © AURIMAGES

1. Comment est assurée l'impression de profondeur ?
2. Retrouvez ce procédé dans *Les Saisons* de Poussin. Quel tableau correspond le mieux à cette façon d'introduire de la perspective ?
3. Quel rôle jouent les deux arbres du premier plan dans la composition du tableau ?
4. Quelle image de l'homme et de la nature est présentée ici ?
5. Pourquoi peut-on dire que Carrache met en scène une nature idéalisée ?

Les Saisons (1660-1664)
NICOLAS POUSSIN (1594-1665)

HUILES SUR TOILE, 118 × 160 cm

PARIS, MUSÉE DU LOUVRE

PHOTOS © MUSÉE DU LOUVRE. DIST. RMN-GP/ANGÈLE DEQUIER

1. Quel cycle retrace ici Poussin ?

2. Dans le second tableau, quel détail montre l'empreinte de l'homme sur la nature ?

3. Quels échos et quels contrastes peut-on relever entre ces différents tableaux ? (Il faut avoir à l'esprit qu'au Louvre, ils sont exposés dans une salle hexagonale qui met *Le Printemps* face à *L'Automne* et *L'Été* face à *L'Hiver*).

4. Quelle est la place de l'homme dans cette évolution ? Quel est son rôle ?

5. Quelles formes géométriques peut-on identifier dans *L'Hiver* ? Quelle composition choisit ainsi Poussin ? En quoi est-ce qu'elle accentue le caractère tragique du déluge représenté ?

6. Quel extrait de *L'homme qui plantait des arbres* invite à penser qu'Elzéard Bouffier réalise le processus inverse à celui qui est évoqué par Poussin ?

Dans la même collection

Composition Dominique Guillauim
Impresion Novoprint
à Barcelone, le 10 septembre 2018
Dépôt légal : septembre 2018
Premier dépôt légal dans la collection : septembre 2016

ISBN 978-2-07-079402-7./ Imprimé en Espagne.